LA MASONERIA EN LOS EPISODIOS NACIONALES DE PEREZ GALDOS

JOSE A. FERRER BENIMELI

LA MASONERIA EN LOS EPISODIOS NACIONALES DE PEREZ GALDOS

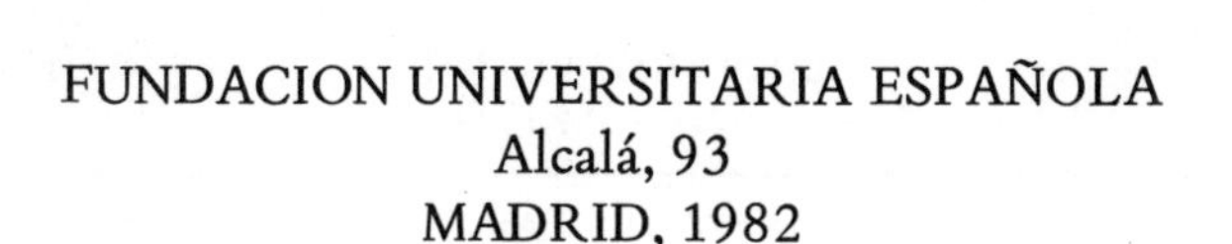

FUNDACION UNIVERSITARIA ESPAÑOLA
Alcalá, 93
MADRID, 1982

Publicaciones
de la
FUNDACION
UNIVERSITARIA
ESPAÑOLA

Monografías - 34

ISBN - 84-7392-191-7
Depósito legal: M-12667-1982

Imprenta UNIVERSITARIA - Alcalá, 93 - MADRID - 9

INTRODUCCION

Uno de los problemas que tiene planteada la historia de la masonería española contemporánea es la reconstrucción de su pasado decimonónico, y en especial el de la primera mitad del siglo, debido a la escasez de fuentes documentales directas. Es cierto que existen algunos papeles de archivos masónicos, así como de la Inquisición y de la policía de la época, pero, sobre todo, estos dos últimos están marcados por las directrices legislativas de condena y persecución de la masonería, lo que exige un cuidadoso trato e interpretación de los mismos, para no incurrir en las manipulaciones que de este material han hecho algunas escuelas historiográficas neomenendezpelayistas más preocupadas de Españas posibles que de la verdadera realidad española del momento. En particular este problema se agudiza en el período correspondiente al reinado de Fernando VII, que es el más polémico por el tratamiento histórico que ha recibido de las diversas tendencias histórico-ideológicas.

En este sentido, y para este tema concreto, se impone, quizá más que en otras ocasiones, el recurrir a los escritos de los contemporáneos, o de los que no excesivamente lejos del momento relataron los acontecimientos de la época a través de memorias, correspondencias, apuntes históricos, prensa, e incluso de la novelística, sobre todo, si, como en el caso de Pérez Galdós, se trata de la llamada novela histórica.

Dado que Galdós se ocupa de esta parcela de nuestra historia en sus Episodios Nacionales, hace que pueda ser de cierta utilidad el que intentemos acercarnos a ella llevados de su mano. El intento de hacer un ensayo de lectura histórica de los Episodios tiene como finalidad no el rehacer la historia de la masonería española, que lógicamente exige un trabajo de investigación mucho más complejo y laborioso, sino simplemente constatar una realidad y cómo esa realidad es contemplada, juzgada y criticada por Galdós a través de sus personajes.

Se ha dicho de Galdós que lo mejor que hace como novelista es el costumbrismo histórico (1), del que, precisamente, deja páginas magistrales dedicadas a la masonería de una época que vivió de cerca, y de aquella otra que tal vez no conoció desde dentro, pero de la que demuestra tener una no despreciable información.

Si algo llama la atención en Galdós es su realismo. Como recuerda Marañón, apenas hay criatura de las forjadas por el gran novelista que no sea retrato, disimulado o exacto, de un hombre o una mujer de carne y hueso (2). No se sabe qué admirar más, si los personajes inventados por Galdós, o aquellos que tomándolos de la historia nos lo hace ver de una forma distinta, por supuesto más humana, más próxima a nosotros. Cuando Galdós nos presenta a un Fernando VII, a un Godoy, a un Prim, Cánovas, Mendizábal, Zumalacárregui, y tantos otros, lo hace sacándolos de la vitrina histórica, de ese museo de figuras de cera o momificadas, tan propio para estereotipos, no pocas veces falseados. Galdós les vuelve a dar vida, cordialidad, los recrea, despojándolos de su máscara de cera, pero sin quitarles su trascendencia histórica. Galdós guardará un sano equilibrio entre lo vivo y lo pintado, entre lo verdadero y lo figurado (3).

De ahí que cuando Galdós hace hablar a sus personajes, cuando estos emiten juicios de valor sobre la masonería, sabemos que no se trata de una "historia pura", puesto que está presente el subjetivismo galdosiano, y que tampoco es una mera novela ya que existe una objetividad reflejada, a a través de los personajes, en una visión de la realidad y de la época. Es decir que, en el fondo, estamos rozando un problema de historia. De ahí que el intentar llevar la investigación de un hecho histórico, en este caso la masonería, basándonos en los Episodios Nacionales, tenga sentido en cuanto se trata de un mero ensayo de lectura histórica.

I. GALDOS COMO HISTORIADOR

La primera serie de los Episodios abraza el período de la guerra de la Independencia, desde Trafalgar hasta la batalla de Arapiles. La segunda serie, el período histórico comprendido entre los años 1813 y 1834, período que pudiéramos calificar de político. La tercera serie va de 1834 a 1845; primera guerra carlista, regencias de doña María Cristina de Borbón y Espartero, primeros brotes del progresismo, pronunciamientos, levantamientos... La cuarta serie –entre 1848 y 1869– se refiere a los principales acontecimientos del reinado de doña Isabel II y a su destronamiento. La quinta y última recoge los episodios de la España sin rey, la primera República, la restauración, la regencia de doña María Cristina de Habsburgo y Lorena, presidencia de Cánovas..., es decir de 1870 a 1898.

Los Episodios como fuente de información histórica

El hecho de implicar a Galdós en la historia de la masonería española de principios del siglo XIX obliga a una aclaración inicial. No se trata, pues, de hacer un análisis de crítica literaria, ni de un mero estudio de la novela galdosiana, sino tan sólo de considerar a Galdós como una posible fuente de información histórica. Dicho de otra forma, si se puede estimar a Galdós como historiador, y en este caso, como historiador o al menos informador, de una parcela tan concreta de nuestra historia, como es la de la masonería española del siglo XIX.

Es decir que no se pretende poner sobre el tapete la cualidad de Galdós como historiador en general, que muy pocos discuten, sino sólo como historiador o fuente informativa de un tema tan polémico, cual es el de la masonería, y por el que además manifiesta una curiosa y particular inclinación.

Creo que no es éste el lugar para polemizar sobre si Galdós es o no historiador; sobre si reúne las condiciones que se exigen a un historiador (4). Pues por poco que se conozca su vida, sus viajes, su espíritu de observación, sus inquietudes políticas..., está fuera de duda que demostró tener una sagacidad que le impulsó a una especie de necesidad de hacer historia, mediante una técnica consumada tanto en la utilización de las verdades recogidas, como en la selección de las mismas, y finalmente en la exposición clara y substanciosa de los sucesos (5).

No olvidemos que los Episodios Nacionales aparte de suponer casi la mitad de la gigantesca labor literaria de Galdós, forman la parte más orgánica y trabada de la misma. Y además constituyen la parte menos discutida por la crítica; la parte aceptada sin reservas por todos los públicos, cuales quiera que sean sus ideologías.

Galdós historió todo el siglo XIX español mereciendo la admiración de Mesonero Romanos, quien no podía menos de maravillarse de que el autor de los Episodios "sin haberlos vivido", conociese tan bien aquellos tiempos a los que Mesonero consagraba un auténtico culto. El propio Mesonero Romanos, en sus "Memorias de un setentón", refiriéndose a alguno de los Episodios de la segunda serie, en concreto a las "Memorias de un cortesano de 1815", llega a decir textualmente: "En él ha sabido trazar un cuadro acabado de aquella Corte y de aquella época, en que no se sabe qué admirar más, si la misteriosa intuición del escritor, que por su edad no pudo conocerla, o la sagacidad y perspicacia con que, aprovechando cualquier conversación o indicaciones que hubo de escuchar de mis labios, ha acertado a crear una acción dramática con tipos verosímiles, casi históricos, y desenvolverla en situaciones interesantes, todo con un estilo lleno de amenidad y galanura".

Los Episodios como transposición histórica

Ciertamente este juicio tiene tanto más valor en las dos primeras series de los Episodios, pues Pérez Galdós nació el 10 de mayo de 1843. Y hemos visto que la primera serie de los Episodios abarca la Guerra de la Independencia, desde Trafalgar hasta la batalla de Arapiles; en tanto que la segunda serie hace lo propio con el período histórico comprendido entre los años 1813 y 1834; es decir que los sucesos que, tanto en la primera, como en la segunda serie, relata Galdós, son anteriores a su nacimiento, y por lo tanto no los vivió de cerca, cosa que no ocurre con las otras series de los Episodios, especialmente la cuarta y la quinta.

Por otra parte las dos primeras series de los Episodios fueron escritas de enero de 1873 a diciembre de 1879, lo que nos planteará la cuestión de saber no sólo hasta qué punto se pueden considerar como fuente de información histórica, sino, sobre todo, si la agitada historia político-masónica del momento influyó en la historia de ese pasado rememorado por Galdós en los veinte volúmenes que integran estas dos primeras series.

A la primera cuestión –como afirma Sainz de Robles– hasta ahora ni el más sutil de los historiadores ha podido acusar a Galdós de apartarse de la verdad o de tergiversarla. Ya que Galdós, aun cuando une a lo histórico lo novelesco, no los confunde. En cada Episodio galdosiano el lector sabe en seguida hasta dónde llega la verdad, y dónde empieza la ficción; cuales son los personajes históricos, y cuales los novelescos.

Por esta razón al estudiar el tema concreto de la masonería, es fácil distinguir lo que proviene de los personajes inventados por Galdós, de lo que tiene o quiere tener de rememoración histórica del pasado. Y es aquí cuando la segunda cuestión que nos planteábamos necesitaría de un ulterior desarrollo. Es decir, cuales son las fuentes en las que se basa Galdós cuando habla de masonería, y cual es el influjo que sus posibles vivencias personales o ambientales del decenio 1870-1880 –que es cuando escribe– se reflejan como transposición histórica a los primeros años del siglo XIX, que es el período relatado.

Es una lástima que Galdós no hiciera realidad lo que –cuando en 1881 publicó la edición ilustrada de las dos primeras series– avanzaba en una "Advertencia al Lector", en la que decía lo siguiente: "Tengo preparado un luengo y prolijo escrito sobre el origen de estas obras, su intención, los elementos literarios e históricos de que dispuse, los datos y anécdotas que recogí; en suma un poquito de historia o más bien de memorias literarias, con la añadidura de algunos desahogos sobre la novela contemporánea".

Es fácil que Galdós adquiriera algunos de sus conocimientos históricos –aparte de en las informaciones directas que le proporcionaron algunos de los protagonistas del momento, como hizo Mesonero Romanos– en las obras del conde de Toreno, de Alcalá Galiano, del marqués de Miraflores, de la condesa de Espoz y Mina, del general Fernández de Córdoba, etc. –libros todos de fácil acceso en los tiempos en que escribía el novelista–, o en la prensa del momento: El Zurriago, el Nuevo Diario, La Colmena, El Procurador General del Rey, El Restaurador, El Censor, el Espectador, El Imparcial, etc. etc. Pero es igualmente fácil que Galdós tomara partido a la vista de los acontecimientos que estaba viviendo España en esos momentos; o incluso que ambas fuentes –las del pasado y las actuales– se aglutinaran en una simbiosis armónica (6).

II. LA MASONERIA COMO TEMA GALDOSIANO

Una de las cosas que más llama la atención al leer los Episodios es la presencia constante de la masonería en la mayor parte de los mismos. Presencia que tendrá en algunos más incidencia que en otros, pero que va tomando protagonismo de una forma progresiva hasta alcanzar, por así decirlo el punto culminante en el Episodio que está dedicado íntegramente a la masonería: El Grande Oriente.

Protagonismo masónico

Quizá una de las preguntas que nos podemos hacer es el por qué de esta preocupación masónica de Galdós. ¿Es que él era masón, como algunos han insinuado o incluso afirmado? O más bien está fuertemente influido por Alcalá Galiano, quien a su vez, se puede decir está igualmente obsesionado por el tema de la masonería, que desarrolla con amplitud y minuciosidad tanto en sus "Recuerdos de un anciano", como en sus "Memorias", y en donde se confiesa pertenecer a la Orden del Gran Arquitecto del Universo? Es importante recordar la amistad que unió a Galdós con José Alcalá Galiano (nieto de D. Antonio), con quien realizó alguno de sus viajes a Inglaterra, concretamente en 1883.

En cualquiera de los casos lo cierto es que Galdós se ocupa de la masonería, con más o menos amplitud, desde *Bailén* y *Napoleón en Chamartín*, de la primera serie, hasta *Cánovas* de la última. Ciertamente se nota una mayor incidencia del tema a partir de la segunda serie, y la razón es de fácil comprensión dentro de la lógica galdosiana, y de la dinámica de los propios Episodios, a través de sus escenarios y de sus protagonistas.

El personaje central o protagonista de la primera serie, Gabriel Araceli, con su sencillez, falta de instrucción, su desdicha paralela a su bondad y honradez, representa a la nueva clase social nacida de la epopeya de la Guerra de Independencia, en la que entraron tantos y tan dispares elementos, entre ellos la propia masonería (7). Pero durante la epopeya nacional la incidencia de la masonería en la parte no francesa de la península es mínima; de ahí que no se refleje tanto la temática en esta primera serie, y que cuando lo haga sea casi siempre bajo el genérico nombre de sociedades secretas.

Sin embargo en la segunda serie el protagonista será Salvador Monsalud, vehemente, con su deje de patetismo, que viene a ser como el símbolo de las nuevas tendencias constitucionales, en lucha contra el despotismo (8). Y aquí el papel a desarrollar por la masonería, tanto en su aspecto histórico, como en el puramente novelesco es más coherente, ya que la trama revivida por Galdós está íntimamente ligada con las pasiones políticas que agitaron a blancos y negros, a carlistas y cristinos, a republicanos y monárquicos, y con las preocupaciones religiosas y las inquietudes de clases. Por esta razón la masonería con su ideología liberal y su carácter secreto –óptimo para la conspiración– está mucho más presente en la segunda serie, donde ciertamente se puede decir que es elevada incluso a categoría de protagonista.

Cejador juzgando los Episodios, con su acostumbrada sinceridad aragonesa, dirá que "Galdós no falsea los acontecimientos ni los personajes. Podrá, acaso, alguna vez, engañarse, como los historiadores se engañan; pero ha bebido las noticias en los mismos documentos que los historiadores, y ha sabido, mejor que ellos, darnos el espíritu, la visión artística de la Historia... Lo que logró hacer Galdós es la historia interna y viva de los pueblos...".

Diversos enfoques del tema

Pues bien, dentro de este contexto de confianza otorgado a Galdós, es importante distinguir tres aspectos al analizar el tema de la masonería que tanto le preocupa o –al menos– al que tanta atención dedica. El 1º lo que nos dice de la masonería por boca de sus protagonistas masones; 2º lo que de la masonería dicen los personajes procedentes del pueblo y del clero; y 3º lo que piensa el propio Galdós y así lo manifiesta cuando haciendo un paréntesis en la trama de la novela episódica correspondiente, se toma la libertad de dar juicios de valor sobre la masonería o incluso cuando traza rápidas pinceladas de su historia interna.

Como un ejemplo que sintetiza lo anterior en una misma escena, puede servir la siguiente, tomada de *Bailén*:

–Oye tú Marijuan– (9) dijo otro. ¿Sabes lo que decían en Sevilla? Pues decían que la Junta se iba a poner de compinche con las otras Juntas para ver de quitar muchas cosas malas que hay en el gobierno de España, lo cual podemos hacer nosotros "sin necesidad de que vengan los franceses a enseñárnoslo" [Palabras de la Junta Suprema de Sevilla].

–Así ha de ser –obervó Santorcaz– (10). Me han dicho que en Sevilla hay sociedades secretas.

–¿Qué es eso?

–Ya sé –replicó uno–. Tiene razón D. Luis, en Sevilla hay lo que se llama "flamasones", hombres malos que se juntan de noche para hacer maleficios y brujerías.

–¿Qué estás diciendo? No hay tales maleficios. Mi amo iba también a esas juntas, y cuando su mujer se lo echaba en cara, respondía que los que allí iban eran al modo de filósofos, y no hacían mal a nadie.

–Pues en Madrid las sociedades secretas están todavía en la infancia añadió Santorcaz. En Francia las hay a miles y todo el mundo se apresura a inscribirse en ellas (11).

III. LA MASONERIA COMO POLEMICA POPULAR

El concepto que de la masonería tienen los personajes de Pérez Galdós queda expresado en dos vertientes contrapuestas, que por otra parte resultan tan históricas como actuales, pues encajan perfectamente en la polémica popular del desconocimiento que en España ha habido tradicionalmente acerca del sugestivo tema de las sociedades secretas y en particular de la masonería.

Aspectos positivos y negativos de la masonería

Por una parte está el aspecto de la masonería que podríamos denominar positivo, y que se resume en la identificación de los masones con los filósofos, los liberales y de cuantos desean hacer desaparecer las injusticias de la sociedad en que viven, recurriendo si es preciso a la conjura e incluso a la revolución, para por medio de las sociedades secretas reformar el Gobierno de España.

La otra vertiente del concepto galdosiano de la masonería nos viene dada por las palabras que pone en boca de sus personajes procedentes del pueblo. En la masonería, en este caso, no hay nada de positivo. Los masones son considerados por el pueblo como brujos, tunantes, mentirosos y falsarios, jugadores, libertinos, ambiciosos, propagandistas políticos, afrancesados, demonios, herejes y malvados. Se les acusa incluso de robar doncellas y secuestrar niños para educarles en la fe de "Majoma" (12).

IV. LA MASONERIA ESPAÑOLA SEGUN GALDOS

Orígenes de la masonería española

Pero dejando aparte sus personajes, el propio Galdós se permite terciar en la cuestión histórica de la masonería, aludiendo a sus orígenes en España de una forma clara y contundente: "Yo tengo para mí –escribirá– que antes de 1809, época en que los franceses establecieron formalmente la masonería, en España ser masón y no ser nada era una misma cosa. Y no me digan que Carlos III, el conde de Aranda, el de Campomanes, y otros célebres personajes eran masones, pues como nunca los he tenido por tontos, presumo que esta afirmación es hija del celo excesivo de aquellos buscadores de prosélitos que, no hallándolos en torno a sí, llevan su banderín de recluta por los campos de la Historia, para echar mano del mismo padre Adán, si le cogen descuidado" (13).

Esto lo escribe Galdós en enero de 1874, y pertenece al primer capítulo de *Napoleón en Chamartín*. Consecuente con lo escrito, en los episodios anteriores no se ocupa, y ni siquiera menciona a la Masonería. No lo hace en *Trafalgar*, ni en *La Corte de Carlos IV*, que tanto se prestaba a ello, caso de haber dado Galdós importancia a lo que D. Vicente de la Fuente, en su "Historia de las Sociedades Secretas" había publicado en 1870, donde por primera vez se plantea y cuestiona el mito de la masonería de Carlos III, Aranda y Campomanes, entre otros (14).

Es cierto que La Fuente no se atreve a contestar al interrogante que queda abierto; pero tras él, ya se encargarían otros muchos, con un desconocimiento notable de nuestra historia, de dar respuestas según el gusto de los grupos clericales o anticlericales, que por aquel entonces –sobre todo a raíz de la cuestión romana y de la reciente experiencia republicana en España– polemizarían sin piedad en torno a las sociedades secretas, y en especial a la masonería.

Aparición de las sociedades secretas

Por esta misma razón tampoco se ocupa Galdós de la masonería en *El 19 de marzo y el 2 de mayo*. Hay que esperar a la llegada de los franceses para que en la trama novelística de sus episodios se empiece a ocupar de las sociedades secretas. Por esta razón será en *Bailén* donde se permita ya aludir a las sociedades secretas relacionándolas indirectamente con las Juntas que iban a "quitar muchas cosas malas que hay en el gobierno de España, lo cual podemos hacer nosotros sin necesidad de que vengan los franceses a enseñárnoslo". Inmediatamente, y como consecuencia o explicación de lo anterior, dirá que ya hay sociedades secretas en Sevilla, si bien en Madrid, dichas sociedades "estaban todavía en la infancia". No obstante –añadirá a modo de observación histórica– "en Francia las hay a miles y todo el mundo se apresura a inscribirse en ellas (15). Y no deja de ser sintomático que en este caso sociedad secreta se identifique con "lo que se llama *flamasones*".

Respecto al carácter reformista de dichas sociedades secretas, –que no eran "sociedades de enamorados" dedicadas a asaltar conventos–, dirá que si algún día se ocupaban de conventos sería "para echar fuera a los frailes y vender luego los edificios" (16). La alusión a futuras desamortizaciones es suficientemente clara, sobre todo teniendo en cuenta la fecha en que se desarrolla la acción de este episodio.

Galdós, hasta que llega en su relato al año 1809, no empieza a ocuparse más directamente de la masonería. Y debo indicar –dirá entonces– "que en aquel año la masonería española era pura y simplemente una inocencia de nuestros abuelos, imitación sosa y sin gracia de lo que aquellos benditos habían oído tocante al *Grande Oriente Inglés* y al *Rito escocés*" (17). Después de 1809 –dirá Galdós en su *Napoleón en Chamartín*– ya es otra cosa:

"De aquellas dos logias infantiles que yo conocí en la calle de las Tres Cruces y en la de Atocha, y donde se regocijaban con candorosas ceremonias unos cuantos desocupados, salieron la famosa logia de la *Estrella*, la de *Santa Justa* [sic], patrona de Córcega; la sociedad de caballeros y damas *Philocoreitas*; la de los *Filadelfios*, de Salamanca; la *Gran Logia Nacional*, que estuvo en el edificio ocupado antes por la Inquisición; la logia de *Santiago el Mayor*, en Sevilla, y las de Jaén, Orense, Cádiz y otras ciudades. Entrometiéndome en la *Gran Logia Nacional*, oí hablar de cosas más serias y graves que los discursitos *filosóficos en verso* que le echaban al esqueleto de la *Rosa-Cruz*; oí hablar mucho de política, de igualdad; entonces fue cuando anduvo de boca en boca y llegó a ser muy de moda la palabra *democratismo*, que luego desapareció para presentarse de nuevo al cabo de medio siglo, aunque variada en su forma y tal vez en su significación. De la larva de aquellas logias no es aventurado afirmar que salió al poco tiempo la crisálida de los clubs, los cuales, a su vez, andando el voluble siglo, dieron de sí la mariposa de los comités" (18).

Tras esta digresión histórica, Galdós volverá a su narración reconociendo que se había alejado de su objeto (19). Sin embargo Galdós plantea aquí al lector una duda o interrogante, que algunos, quizá con excesivo simplismo, han resuelto de forma afirmativa: ¿Fue Galdós masón?, o mejor dicho, ¿se puede deducir de lo que aquí dice que él perteneció a la masonería? Porque Galdós escribe –como acabamos de ver– en primera persona: "De aquellas dos logias infantiles que *yo conocí* en la calle de las Tres Cruces y en la de Atocha... salieron la logia de la "Estrella", la de Santa Justa, patrona de Córcega [en realidad debería haber dicho Santa Julia, y no Santa Justa], la sociedad de... etc. Entrometiéndo*me* en la Gran Logia Nacional *oí* hablar...".

Es evidente, no obstante, que esa primera persona no corresponde al propio Galdós, o no puede corresponder, puesto que en 1809 no había nacido todavía, y para cuando nació –en 1843– todas esas logias que cita ya no existían, pues desaparecieron con la prohibición y persecución de la Inquisición y de la policía de Fernando VII. No obstante tampoco se trata de D. Diego Rumblar o del señor de Mañara (20), que son los protagonistas de la escena en cuestión, sino de un hipotético narrador que describe en primera persona las andanzas de los protagonistas de turno, andanzas que van salpicadas de comentarios en los que la personalidad de Galdós se desdobla entre su propio pensamiento y el de su otro yo que es el narrador del episodio de turno.

A partir de este episodio –*Napoleón en Chamartín*–

las alusiones a la masonería aparecerán más frecuentes en *Cádiz* y en *La Batalla de Arapiles*, para luego ocupar un lugar preferente en la segunda serie, en especial en *Las Memorias de un cortesano de 1815, La segunda casaca, El Grande Oriente, Un voluntario realista, Los Apostólicos,* y *Un faccioso más y algunos frailes menos*. Es decir que, a excepción de tres episodios: *El equipaje del Rey José, El 7 de julio*, y *El terror de 1824*, la masonería aparece en la segunda serie como protagonista de todos los demás episodios, con más o menos intensidad.

Masonería española y masonería extranjera

Y es en esta segunda serie, y en concreto en el capítulo sexto de *El Grande Oriente*, donde Galdós vuelve a hablar en primera persona para decirnos qué entiende él –no sus personajes– por masonería en el período que relata, y que se remonta en este caso al Trienio Constitucional (1820-1823), si bien el episodio fuera escrito en junio de 1876.

"No puede formarse juicio exacto de la masonería –nos dirá– por lo que esta institución ha sido en España. Los masones de todos los países declaran que la Sociedad del compás y la escuadra existe tan sólo para fines filantrópicos, independientes en absoluto de toda intención y propaganda políticas. En España, por más que digan los sectarios de esta Orden, cuyos misterios han pasado al dominio de las gacetillas, los masones han sido, en las épocas de su mayor auge, propagandistas y compadres políticos. Tampoco puede formarse juicio de la masonería española de antaño por los restos de ella que existen hoy, y que, al decir de los devotos, se reducen a unas juntillas diseminadas e irregulares, sin orden, sin ley, sin unidad, aunque cumplen medianamente su objeto de dar de comer a tres o cuatro hierofantes. Esta antigualla oscura que algunos sostienen como una confabulación caritativa para fines positivos o menudencias individuales, y para protegerse en uno y otro continente (por lo cual son masones casi todos los marineros que hacen la carrera de América), no tiene nada de común con la asociación de 1820.

"Era ésta una poderosa cuadrilla política que iba derecha a su objeto, una hermandad utilitaria que miraba los destinos como una especie de religión (hecho que parcialmente subsiste en la desmayada y moribunda masonería moderna), y no se ocupaba más que de política a la menuda, de levantar y hundir adeptos, de impulsar la desgobernación del reino; era un centro colosal de intrigas, pues allí se urdían de todas clases y dimensiones; una máquina potente que movía tres cosas: Gobiernos, Cortes y Clubs, y a su vez dejábase mover a menudo por las influencias de Palacio; un noviciado de la vida pública, o más bien ensayo de ella, pues por las logias se entraba a *La Fontana* y *La Cruz de Malta*, y de aprendices se hacían diputados, así como de *Venerables* los ministros. Era, en fin, la corrupción de la masonería extranjera que al entrar en España había de parecerse necesariamente a los españoles.

"Durante la época de persecución, es notorio que conservó cierta pureza a estilo de catacumbas; pero el triunfo desató tempestades de ambición y codicia en el seno de la hermandad, donde al lado de hombres inocentes y honrados había tanto aprendiz holgazán que deseaba medrar y redondearse.

"Apareció formidable el compadrazgo, y desde la simonía, el cohecho, la desenfrenada concupiscencia de lucro y poder, asemejándose a las asociaciones religiosas en estado de desprestigio, con la diferencia de que éstas conservan siempre algo del simpático idealismo de su instinto original, mientras aquella sólo conservaba el grotesco aparato mímico y el empolvado *atrezzo* de las llamas pintadas y las espadas de latón.

"A medida que iba avanzando el triunfo, iba decayendo el ritual masónico, simplificándose la disciplina en lo relativo a juramentos, pruebas, iniciación. Por eso hemos visto tan empolvados y rotos los tarjetones y huesos de la *Cámara de Meditaciones*, cuya inutilidad empezaba a ser reconocida. Es propio de gente tocada de afán de codicia el no preocuparse de detalles tontos, y bien se sabe que hambre y ambición no tienen espera" (21).

La masonería de 1876 y la de 1820

Aquí Galdós expresa en poco espacio una serie de ideas importantes por cuanto se permite comparar el período que relata –los años 1820– con los que está viviendo cuando escribe –junio de 1876–.

En primer lugar deja claro cual es su concepto de la masonería haciendo abstración de lo que esta asociación sea o haya sido en España, ya que "no puede formarse juicio exacto de la masonería por lo que esta institución ha sido en España". Es decir que contrapone claramente la masonería española frente a la masonería de los otros países; y no olvidemos que Galdós para esas fechas ya había hecho alguna escapada al extranjero, especialmente a Francia, si bien sería más tarde (1883-84) cuando visitaría Inglaterra, Holanda, Alemania, Dinamarca, Suecia, Italia, etc.

"Los masones de todos los países –dirá Galdós– declaran que la Sociedad del compás y la escuadra existe tan sólo para fines filantrópicos, independientes en absoluto de toda intención y propaganda políticas". Sin embargo, en España, los masones –"cuyos misterios han pasado al dominio de las gacetillas", con lo que le tenía que resultar relativamente fácil a Galdós conocer los detalles a los que desciende en sus relatos– o como los denomina, no precisamente con cariño "los sectarios de esta Orden", en las épocas de mayor auge no han pasado de ser "propagandistas y compadres políticos".

A continuación establece un claro paralelismo entre la masonería española de 1876 y la de 1820, llegando a afirmar que no había nada de común entre ambas.

¿Qué es, pues, la masonería contemporánea de Galdós; la que existía en España cuando escribía *El Grande Oriente?*: "Unas juntillas diseminadas e irregulares, sin orden, sin ley, sin unidad, aunque cumplen medianamente su objeto de dar de comer a tres o cuatro hierofantes". Y todavía añadiría más al decir que no pasaba de ser "una antigualla oscura que algunos sostenían como una confabulación caritativa para fines positivos o menudencias individuales, y para protegerse en uno y otro continente".

Conviene insistir en lo que Galdós afirma al describir la masonería que califica de "juntillas diseminadas e irregulares, sin orden, sin ley, y sin unidad". En efecto, por esas fechas –1876– en España había varios grupos distintos de masones, a saber: el constituido por los masones que se reunían en torno a Ramón Mª Calatrava, como Gran Maestre del titulado Gran Oriente Nacional de España; el formado por las logias que dependían del Grande Oriente Lusitano; el compuesto por aquellos masones que quisieron organizar la masonería sobre unas bases más democráticas y racionales, y que fundaron el Grande Oriente de España, eligiendo como Gran Maestre a Carlos Celestino Magnan y Clark; la Gran Logia Independiente Española, con sede en Sevilla, y que agrupaga a varias logias por toda la península; el Gran Capítulo Catalán, formado en Barcelona y que intentaba la unión de las logias de Cataluña; el pintoresco Grande Oriente de Pérez, cuyo Gran Maestre acabaría siendo condenado a la expulsión de la masonería con alguno de sus cómplices; el Grande Oriente Ibérico, que acabaría fusionándose en 1876 con el Grande Oriente de España, siendo proclamado Gran Maestre Práxedes Mateo Sagasta, jefe del partido liberal y presidente del Gobierno, etc.

Es decir, que Galdós tenía razón cuando daba una visión tan poco favorable de la masonería contemporánea, o como la calificaría gráficamente al tratarla de "desmayada y moribunda masonería moderna".

Frente a estos rasgos y características, la masonería española de 1820 no sale mejor parada, pues no era otra cosa que "una poderosa cuadrilla política que iba derecha a su objeto". La descripción o finalidad de esta masonería política era "proporcionar destinos", "levantar y hundir adeptos", "impulsar la desgobernación del reino", "centro de intrigas", "máquina potente que movía tres cosas: Gobierno, Cortes y Clubs"...; era, en fin, –concluirá Galdós– "la corrupción de la masonería extranjera que al entrar en España había de parecerse necesariamente a los españoles". Y el que fuera la corrupción de la masonería extranjera es claro, puesto que poco antes ha definido a los masones de todos los países "independientes en absoluto de toda intención y propaganda políticas"; sin embargo los masones españoles, no se ocupaban de otra cosa que de "política a la menuda".

Indirectamente nos deja entrever, sin embargo, que no siempre había sido así. Pues, en un principio, esa masonería moderna que él llama "desmayada y moribunda", había conservado –desde el punto de vista masónico– cierta pureza a estilo de las catacumbas, durante la época de persecución. Pero con la llegada del triunfo político "desató tempestades de ambición y codicia en el seno de la hermandad donde al lado de hombres inocentes y honrados había tanto aprendiz holgazán que deseaba medrar y redondearse".

Apareció –en expresión de Galdós– "el compadrazgo, la simonía, el cohecho y la desenfrenada concupiscencia de lucro y poder", con lo que el desprestigio de la masonería no se hizo esperar.

LA PRIMERA SERIE DE LOS EPISODIOS

I. LA HISTORIA COMO BASE DE LA NOVELA

La primera serie de los episodios, desde Trafalgar hasta Arapiles, corresponde a nueve apretados años en los que lo histórico se inserta armónicamente en lo novelesco. Galdós quiere presentarnos la historia política de los comienzos del siglo en episodios claves dentro de la mayor variedad posible, y para ello necesita una trama novelesca muy elástica que dé cabida a todo. Más que de diez episodios habría que hablar de uno en diez capítulos.

Técnica galdosiana

Cuando Galdós preparaba un episodio hacía un detenido esquema de los sucesos políticos que el libro debía abarcar. Era la base o cuadrícula sobre la que luego tejería la novela (22). Sobre todo en esta primera serie lo histórico iba a ser lo esencial. Por esta razón se documentaba con todo rigor y escrúpulo antes de iniciar el trabajo (23), y luego introducía poco a poco la historia en los Episodios, pues es claro que en todos predomina lo novelesco, aunque lo histórico sea esencialísimo, por lo menos en no pocos de ellos.

Consecuente con su rigor histórico, y estando convencido Galdós –como hemos podido constatar más arriba (24)– de que la masonería no se introduce en España hasta 1809, no se ocupa de ella ni en *Trafalgar*, ni en *La Corte de Carlos IV*, ni en *El 19 de marzo y el 2 de mayo*. En *Bailén* –como también hemos podido observar (25)– alude ya a las sociedades secretas en un breve pasaje en el que, a pesar de su brevedad, demuestra, no obstante, tener una cierta información, no sólo de la masonería española, sino de la francesa. Finalmente en *Napoleón en Chamartín* es cuando ya empieza a hablar de la masonería, y además lo hace como historiador, en un importante preámbulo, al margen de la novela, en el que deja bien clara cual es su forma de pensar sobre el origen e influjo de la masonería.

Es significativo que, ya desde el primer momento, nos presente las logias como lugares donde se hablaba mucho de política, de igualdad y de democracia: "Entonces fue cuando anduvo de boca en boca y llegó a ser muy de moda la palabra *democratismo*, que luego desapareció para presentarse de nuevo al cabo de medio siglo, aunque variada en su forma y tal vez en su significación. De la larva de aquellas logias no es aventurado afirmar que salió al poco tiempo la crisálida de los clubs, los cuales, a su vez, andando el voluble siglo, dieron de sí la mariposa de los comités" (26).

Personalidad de Galdós

Esta digresión histórica de Galdós sobre la masonería nos sabe a poco. Sin embargo nos muestra no sólo su conocimiento de la historia, sino el carácter y personalidad de Galdós, ya que se permite terciar en una polémica que hacía poco acababa de iniciar el erudito don Vicente de la Fuente en su ya citada *Historia de las Sociedades Secretas*; polémica que todavía perdura en nuestros días. La Fuente se planteaba en 1870 la posible vinculación de Carlos III, Aranda y Campomanes, entre otros a la masonería; vinculación que hoy día recientes investigaciones históricas han descartado totalmente. Es evidente que Galdós, cuando escribía en enero de 1874 su *Napoleón en Chamartín*, había leído a La Fuente pues de él toma casi literalmente no pocos de los datos que sobre la masonería reproduce en su digresión histórica cuando menciona las logias situadas en la calle de las Tres Cruces, y en la de Atocha; y cuando habla de "la famosa logia de la Estrella, la de Santa Justa [Julia]... la sociedad de caballeros y damas Philocoreitas, la de los Filadelfos de Salamanca, la Gran Logia Nacional", donde había oido hablar de "cosas más serias y graves que los discursitos filosóficos en verso que le echaban al esqueleto de la Rosa Cruz..." (26).

Sin embargo disiente radicalmente en lo relativo a Carlos III y al conde de Aranda. Pues a la cuestión planteada por La Fuente, de una posible vinculación de dichos personajes a la masonería, su respuesta es tajante: "Y no me digan que Carlos III, el conde de Aranda, el de Campomanes, y otros célebres personajes eran masones, pues como nunca los he tenido por tontos, presumo que esta afirmación es hija del celo excesivo de aquellos buscadores de prosélitos que, no hallándolos en torno a sí, llevan su banderín de recluta por los campos de la Historia , para echar mano del mismo padre Adán, si le cogen descuidado" (28).

Cuando todo parecía indicar que el tema de la masonería iba a ocupar mayor importancia, a partir de este episodio, sin embargo, tan sólo volvera Galdós sobre ella en dos episodios más: *Cádiz* y *La Batalla de Arapiles*, si bien en este caso lo hará ya desde la óptica del novelista.

II. LOS MASONES VISTOS POR EL PUEBLO

Si del terreno de la especulación histórica del propio Galdós nos remontamos a la trama novelística de la primera serie de los Episodios, podemos sacar un curioso retrato de lo que los masones representan para los personajes que encarnan el pueblo.

Bailén

En *Bailén*, la primera vez que en una tertulia sale la cuestión de las sociedades secretas, y en concreto los "flamasones", es para decir que son "hombres malos que se juntan de noche para hacer maleficios y brujerías" (29).

D. Diego de Rumblar, uno de los protagonistas de *Napoleón en Chamartín* es definido como "jugador, francmasón y libertino" (30), siendo asiduo visitante de "las logias de masones, *infernalis spelunca*, donde se pasa la noche entre herejías y diabluras..." (31).

Por otra parte, y sin salirnos del mismo episodio, se atribuye a los masones la idea de Napoleón de reducir el número de regulares a la tercera parte, con estas palabras que identifican o aproximan masones con franceses y sus ideas más o menos revolucionarias: "Esas son las tan decantadas novedades de los filósofos y de todos esos masones a la francesa que hay ahora" (32). Poco después el paralelismo "filósofos-masones" dará un paso más con el de "herejía-masones": "Afuera Inquisición, y vengan herejes y lluevan masones. ¿Qué les importa esto a los que no se cuidan de lo espiritual?" (33).

Cambiando de episodio encontramos en *Cádiz* una nueva alusión al afrancesamiento, si bien en este caso los masones quedan enmarcados entre los "ateos y los democratistas": "No me importan burlas de gente afrancesada... ni de filosofillos irreligiosos, ni de ateos, ni de francmasones, ni de democratistas, enemigos encubiertos de la Religión y del Rey" (34).

Como complemento o explicación de lo que se entiende por "democratistas", y su conexión con la masonería, en el mismo episodio, y por boca del mismo personaje –D. Pedro–, podemos leer lo siguiente: "Es indudable que han entrado aquí las ideas filosóficas, ateas y masónicas, según las cuales ya se acabó el honor y la grandeza, lo noble y lo justo, para que no haya más que pillería, liberalismo, libertad de la imprenta, igualdad y demás corruptelas..." (35).

La Batalla de Arapiles

Finalmente en *La Batalla de Arapiles* completará Galdós el desarrollo de la visión democrática de la masonería. Aquí el protagonista es Santorcaz, que pertenecía a "la sociedad de los *filadelfos*, nacida en el ejército de Soult, y cuyo objeto era destronar al Emperador, proclamando la república" (36). Poco después bajará a más detalles al decir que "Santorcaz (37) se consuela con la masonería, y en la logia de calle Tentenecios unos cuantos perdidos españoles y franceses, lo peor sin duda de ambas naciones, se entretienen en exterminar al género humano, volviendo al mundo patas arriba, suprimiendo la aristocracia y poniendo a los reyes una escoba en la mano para que barran las calles" (38)

Tras esta visión un tanto revolucionaria de la logia en cuestión, en la que no se sabe quienes salen peor parados, si los reyes y aristócratas, o los propios masones que identifica con unos cuantos perdidos –lo peor de Francia y España–, culmina el cuadro calificando a los masones de ridículos y cómicos: "Ya véis que esto es ridículo. Yo he ido varias veces allí en vez de ir al teatro, y en verdad que no debieran disfrazarse de cómicos, porque realmente lo son" (39).

Todavía insistirá Galdós, en el mismo episodio, completando el retrato de los masones que serán calificados de bribones, malvados, afrancesados y herejes, y donde acabarán siendo identificados nada menos que con Satanás. La escena se desarrolla en plena calle:

—¿Buscan la calle del Cáliz y están en ella? —repuso la vieja con desabrimiento—. ¿Van a la casa de los masones o a la logia de la calle de Tentenecios? Pues sigan adelante y no mortifiquen a una pobre vieja que no quiere nada con el Demonio.

—¿Y la casa de los masones, cual es, señora?

—Tiénela en la mano y pregunta... contestó la anciana. Ese portalón que está detrás de usted es la entrada de la vivienda de esos bribones; ahí es donde cometen sus feas herejías contra la religión, ahí donde hablan pestes de nuestros queridos reyes... ¡Malvados! ¡Ay, con cuanto gusto iría a la Plaza Mayor para verlos quemar! Dios querrá quitarnos de en medio a los franceses que tales suciedades consienten... Masones y franceses todos son unos, la pata derecha y la izquierda de Satanás (40).

Dentro de este contexto popular, y sin salirnos de *La batalla de Arapiles* volverá a ser identificado cierto máson importante como "el capitán general de todos los luciferes" (41). Y por si fuera poco lo atribuido a los masones, la "señá Frasquita (42) responderá a la pregunta de ¿por qué llaman masones a esta gente? diciendo que los tales "cuando entran en un pueblo, apandan todas las doncellas que encuentran. Pues digo: también hay que tener cuidado con los niños, pues se los llevan para criarlos a su antojo, que es en la fe de Majoma" (43).

III. LOS MASONES VISTOS POR SI MISMOS

Retrato de los protagonistas

Fundamentalmente los rasgos con que Galdós define a la masonería a través de los personajes de sus novelas relacionados con la masonería o masones ellos mismos, no son tampoco excesivamente laudatorios que digamos, ya que al más importante de ellos –Santorcaz– lo pinta como un resentido, como un brujo, encantador, nigromante y cómico (44). Y en cuanto al condesito de Rumblar le adjudica todas las características de un débil mental.

En los primeros momentos de la invasión francesa, Pérez Galdós, nos presenta una masonería apadrinada por las autoridades invasoras, en la que se llegan a identificar masones y afrancesados (45). Poco tiempo después estas mismas autoridades simplemente la consienten, porque los masones españoles están entre los pocos que no se revelan contra la invasión francesa (46).

En 1812, nos relata, que el ejército francés recibe órdenes para que la causa francesa se separe de todo lo que suene a masonería, ateismo, irreligiosidad y filosofía (47).

Ritos y prácticas masónicas

En cuanto a los ritos y prácticas masónicas la unanimidad de todos los personajes es absoluta: son unas pantomimas. Incluso los mismos masones piensan que los ritos son simples y tontos, pero necesarios para conquistar a los necios (48).

Ya en *Napoleón en Chamartín* se despacha Galdós a gusto: "... D. Diego y el Sr. de Mañara (49) iban de noche a una reunión de masonería incipiente del género tonto, que se celebraba en la calle de las Tres Cruces, y a otra del género cómico fúnebre, que tenía su sala, si no me falla la memoria, en la calle de Atocha, número 11 antiguo, frente a San Sebastián; en cuyas reuniones, amén de las muchas pantomimas comunes a esta órden famosa, leíanse versos y se pronunciaban discursos, de cuyas piezas literarias espero dar alguna muestra a mis pacienzudos leyentes.

"Sobre todo en la calle de Atocha, donde estaba la logia Rosa-Cruz, el rito era tal, que algunas veces púseme a punto de reventar conteniendo las bascas y convulsiones de mi risa, pues aquello, señores, si no era una jaula de graciosos locos, se le parecía como una berengena a otra. En una oscurísima habitación que alumbraban macilentas luces, y toda colgada de negro, se reunían los tales masones; porque allí todo fuera misterio, tenían a la cabecera un Santo Cristo acompañado del compás, escuadra y llana, y a la derecha un esqueleto muy bien puesto en un sillón, con la cabeza apoyada en la mano, en ademán meditabundo, y por debajo un letrerito que decía: "Aprende a morir bien" (50).

Matices ideológicos

Finalmente en *La batalla de Arapiles* volverá Galdós sobre algunas de las características anteriores, a las que añadirá ciertos matices democráticos y anticlericales: "Cuando hablábamos los dos a solas, él se reía de las prácticas masónicas, diciendo que eran simples y tontas, aunque necesarias para subyugar a los pueblos. Su odio a los nobles, a los frailes y a los reyes, continuaba siempre muy vivo..." (51).

Y para redondear más la panorámica masónica, vista desde dentro –por supuesto de la mano de los personajes galdosianos vinculados a ella– tal vez resulte expresivo el siguiente comentario tomado del mismo episodio: "... Los repetidos viajes, las logias y los compañeros de masonería me inspiraban repugnancia, hastío y miedo. No se lo oculté, y él me decía: "Esto acabará pronto. No conquistaré a los necios sino con esta farsa; y como los franceses se establezcan en España, verás la que armo..." (52).

LA SEGUNDA SERIE DE LOS EPISODIOS

I. PLANTEAMIENTO DEL TEMA

Entramado histórico

La segunda serie de los episodios abarca un período más largo que la serie anterior. Ya no son nueve años, sino veinte, y además los veinte más agitados de un siglo ya de por sí agitadísimo. Se puede decir que el tema de esta segunda serie es el de la escisión de España en dos mitades irreconciliables. Al igual que la serie anterior también aquí el primer episodio viene a ser como una especie de cosa aparte o prólogo del resto de los episodios.

Así como *Trafalgar* anunciaba el alumbramiento de un sentimiento patriótico nuevo, del que Araceli era el fiel exponente, en *El equipaje del rey José* se presenta el tema de la división de España. La guerra de la Independencia se acaba, y los españoles van a enzarzarse ahora unos contra otros.

Los episodios siguientes nos contarán la historia de la primera reacción [*Memorias de un cortesano de 1815*], de la segunda etapa liberal [*La segunda casaca, El Grande Oriente,* y *El 7 de Julio*], de la intervención extranjera [*Los Cien mil Hijos de San Luis*], de la época calomardina, la "década ominosa" [*El terror de 1824, Un voluntario realista, Los Apostólicos*], y finalmente el revuelto período que sigue a la muerte del rey [*Un faccioso más y algunos frailes menos*].

En esta segunda serie en la que se distinguen claramente tres elementos perfectamente armonizados entre sí: el estudio histórico, la intención simbólica, y la creación propiamente novelesca, Galdós trata con mucha más extensión el tema masónico, relacionándolo con circunstancias y personajes históricos que elevan la masonería a categoría de verdadera protagonista. A excepción de tres episodios: *El 7 de Julio, El terror de 1824,* y *Los Apostólicos*, la masonería interviene tanto en el aspecto histórico, como en el simbólico y en el novelesco.

El relato de esta segunda serie va de 1813 a 1834. Dada su extensión, la incidencia histórica del período, y el trato que le da Galdós, se impone una triple división del mismo, sirviendo como elemento diferenciador el episodio titulado *El Grande Oriente.*

Así, pues, en una primera parte se puede estudiar la masonería en *El equipaje del rey José, Memorias de un cortesano de 1815* y *La segunda casaca*, que forman un todo homogéneo. En estos episodios, sobre todo en los dos últimos, el tema de la masonería es abordado con verdadera extensión y profundidad.

En segundo lugar merece un tratamiento especial el episodio que sirve de división: *El Grande Oriente*, y que por estar dedicado en su integridad al tema masónico ofrece material más que suficiente para su estudio.

Finalmente, si bien ya de una forma más anecdótica, el tercer bloque lo constituyen *Los Cien mil Hijos de San Luis, Un voluntario realista*, y *Un faccioso más y algunos frailes menos*, episodios en los que con mayor o menor incidencia Galdós volverá a ocuparse de la Orden del Gran Arquitecto del Universo.

II. CARACTERISTICAS DEL PRIMER GRUPO

De un modo un tanto esquemático, los aspectos que más destacan de los tres episodios que componen este primer grupo anterior a *El Grande Oriente*, son: el influjo de la masonería y su vinculación a altos personajes de la corte y gobierno; la presencia de militares en la masonería; la cuestión de la conspiración revolucionaria; y finalmente la persecución de la masonería por parte de la Inquisición y de la política. Como línea de referencia o telón de fondo continuará estando presente la visión particular que de los masones sigue teniendo el "pueblo" galdosiano.

Influjo de la masonería

Respecto al primer aspecto: el influjo de la masonería y su vinculación a altos personajes de la Corte y del Gobierno, en *Las Memorias de un cortesano de 1815*, se describe una escena de palacio en la que interviene el propio Fernando VII (53) y algunos cortesanos, que encierra especial interés ya que el tema de la conversación es precisamente la masonería:

–¿Qué se dice por ahí?

–Esta tarde –replicó Collado (54)– han ido a comer con el Inquisidor general don Pedro Ceballos, Eguía y el Sr. Majaderano (55).

–¿Quién es Majaderano?– preguntó con indiferencia Fernando.

–El ministro de Gracia y Justicia –repuso Alagón (56). Así le llamaba Gallardo en su graciosa *Abeja*. No nos reimos, porque el Monarca permaneció impasible. Al fin sonriendo dijo:

– ¡Ceballos sentado a la mesa con el Inquisidor!

–La señal fue dada. Todos soltamos la risa.

–¿Si querrá don Pedro participar al Prelado cómo va la secta masónica de que es jefe? –dijo el Duque.

–Yo había oído que era masón –afirmó con malicia– pero hasta ahora no sabía que era el Papa de los Hermanos.

–Tan cierto como es de noche –afirmó Alagón, observando el semblante de Su Majestad, que demostraba poco interés en la conversación.

–Lo que asombrará más al mundo –indicó Collado– es saber que los masones tienen su logia en la casa misma de la Inquisición.

– ¡Hombre, tanto como eso...! murmuró el Rey con indolencia.

***

–¿Hablabas de Ceballos?

–Sí Señor.

–Decías que era francmasón, ¿Acaso hay ahora francmasones?, preguntó el hijo de Carlos IV con viveza.

–Los hay, los hay –aseguró Collado–. Esta mañana hablábamos el señor Pipaón (58) y yo de la taifa de masones que va saliendo por todos lados, como mosquitos en verano...

–Fernando contemplaba el techo, y al fin, como quien sale de honda distracción, miróme fijamente y preguntó:

–¿Qué decías?

–Señor, Collado ha apelado a mi testimonio en apoyo de sus opiniones sobre la francmasonería, y yo debo decir...

–Que todos son masones, y yo el jefe de ellos... ¿Te ríes? Pues no falta quien lo asegura así.

–Oh Señor! antes de pronunciar tal desacato, mis labios callarían para siempre.

–La verdad es que hay un Oriente en Granada, que

preside el conde del Montijo... (59) –continuó el Rey.

–Justamente, Señor, y...

–Y en el cual parece andan también muchos hombres graves que no debieran ponerse en ridículo..., pues tengo para mí que eso de la masonería es una farsa grotesca, que no conduce a nada bueno, ni a nada malo. Muchos son masones para ocultar sus amores nocturnos... (60).

A pesar de que la escena es larga, resulta curioso el papel desempeñado por el propio Fernando VII, preguntando si había o no francmasones; pregunta que nos recuerda la publicación anónima que apareció en Cádiz, precisamente en 1812, bajo el título *¿Hay o no hay francmasones?* (61).

La psicósis de la presencia de masones por todas partes, queda bien reflejada por boca de Collado, quien se apresura a decir que "los hay, los hay". Respecto a la cantidad utilizará la gráfica expresión de decir que eran una "taifa de masones" los que iban saliendo "por todos lados, como mosquitos de verano". Expresión que hará intervenir de nuevo al propio rey, medio en broma, medio en serio, para añadir que naturalmente "todos eran masones y él el jefe de ellos", pues no faltaba quien así lo aseguraba.

Pero dejando la broma aparte, añadirá Fernando VII que la verdad era que había un Oriente en Granada que presidía el conde del Montijo, y en el cual "parece andan muchos hombres graves que no debieran ponerse en ridículo..., pues tengo para mí –dirá el rey– que eso de la masonería es una farsa grotesca, que no conduce a nada bueno, ni a nada malo...

Prescindiendo de la alusión a Montijo, que está claramente tomada de Alcalá Galiano (62), es interesante el juicio que da aquí Galdós, sirviéndose de Fernando VII, y donde identifica a la masonería con una "farsa grotesca".

Pero donde, quizá, vuelve a terciar con más claridad, y fuera ya de la trama novelística es en la reflexión que hace el propio Galdós directamente y sin intermediarios, un poco más adelante, a raíz de un diálogo que concluye con estas palabras:

–Cosas de la masonería– indicó Ugarte (63).

–Y repitieron todos:

–Cosas de la masonería.

–En aquel tiempo, la culpa de todo se echaba al gato, es decir, a los masones (64).

El por qué la culpa de todo se adjudicaba a los masones –volviendo a *Las Memorias de un cortesano de 1815*– tal vez sea debido a la expansión de las sociedades secretas y a la presencia de altos políticos entre sus filas, o al menos, al paralelismo establecido entre aquellas ideologías liberales y jacobinas, que, más o menos, se identificaban con dichas sociedades, y en especial con la masonería:

–Andalucía está infestada de jacobinismo.

–Y Madrid también. Afirmó el Duque.

–Las sociedades secretas rebullen por todos lados.

–No será por falta de Ministerio de Seguridad Pública –dijo con ironía el Rey.

–Echavarri (65) encarcela a los mentecatos y deja en libertad a los pillos. Los calabozos están repletos de tontos. Pero ¿qué ha de suceder si los principales personajes del Gobierno están inficcionados de liberalismo? Ceballos es masón; Villamil y Moyano no ocultan sus ideas favorables a un sistema templado como el de Macanaz; Escoiquiz augura desastres; Ballesteros (66) quiere que se dé una especie de amnistía; en toda España se conspira. Abrase un poco la mano, y las revoluciones brotarán por todas partes como pinos en almáciga (67).

Casi como una continuación de la escena anterior, aunque, sin embargo, pertenece a otro episodio: *La segunda casaca*, es ésta en la que se manifiesta igualmente el influjo de la masonería:

–No quiero cuentas con el Supremo Consejo –repuso Villela (68)–. Bien sabemos todos que éste no hace sino lo que le manda el ministro de Gracia y Justicia. Haga usted que pongan en libertad a esa pobre mujer, y cumplirá con la ley de Dios.

–Y con la de los masones, –murmuré.

***

–Hace tiempo se viene diciendo que muchos elevados personajes de la Corte están en connivencia con la masonería...

–Para mí hace tiempo que no es un secreto el francmasonismo de Villela, pero Su Majestad, a quien don Ignacio ha sabido embaucar con tanto arte, no consiente que se le hable de esto, y sostiene que todo lo que se dice de las sociedades secretas es pura fábula.

–También yo tengo datos para asegurar el francmasonismo del señor Consejero que acaba de salir –dijo don Buenaventura (69).

–Desde que estoy en esta casa –afirmó Lozano– (70) no ha pasado una semana sin que haya venido con pretensiones de indulto, de sobreseimiento o de evasión en favor de algún agitador o revolucionario.

***

¡Si todos los criminales se escabullen, protegidos por esos señores, que afectando servir al Trono y a las buenas ideas, son los más firmes auxiliares de la Revolución! No sé cómo Su Majestad protege a tan pérfidos hipócritas... (71).

Aquí se manifiesta una doble protección. Por una parte de los masones para alcanzar altos puestos, punto sobre el que incidirá Galdós en el mismo episodio, al señalar entre las "prendas y demás antecedentes" que se necesitaban para escalar los puestos del Consejo, el de "tener de brevas a higos algún tratadillo con los masones de Granada y de Madrid" (72).

Y por otra la que ejercían dichos masones en cuestiones, sobre todo, de indultos. También en este segundo caso hay otra escena en *La segunda casaca*, donde de una forma gráfica se hace constancia de ella:

-... Cuidadito, se enojará don Buenaventura...

-Es una obra de caridad.

-¡Masónico; eso es masónico puro! –gritó Villela dejándose caer en el sillón.

-Mandaremos al Consejo Supremo que disponga inmediatamente la libertad.

-... Ha necesitado usted que otro le recomendara para hacerlo.

-Mis paisanos... indiqué yo.

–Señor Pipaón (73) –dijo Villela volviendo a las burlas–, usted es masón.

-¿Por qué?

-Porque ha pedido que se pusiera en libertad a una víctima de la Santa... Y también yo soy másón, porque lo pedí antes. Y también es masón el señor Lozano, porque lo concede... (74).

Presencia de militares en la masonería

Con relación a este punto las escenas en las que Galdós

incide sobre lo mismo no son escasas, y a través de ellas va redondeando la idea del influjo y poder de la masonería en el período en cuestión. Precisamente hablando de un conspirador –Monsalud (75)– que se había movido con facilidad por toda la península, refiere que "al poco tiempo se le vió en Madrid, donde los masones de Murcia tienen tan buenas aldabas. Sostuvo relaciones epistolares con don Eusebio Polo y con Manzanares (76), oficiales de Estado Mayor, y otros muchos militares distinguidos, afiliados en la masonería. Cuando éstos fueron reducidos a prisión, se pudo echar mano al Monsalud; pero al poco tiempo de encierro... Desapareció. Ya sabemos lo que son esas desapariciones –afirmó colérico el familiar de la Inquisición–. Los hermanos del Grande Oriente han tenido buen ojo en la elección de sus venerables. Son éstos algunos señores de la grandeza, generales y consejeros, como Villela" (77).

Precisamente a propósito de Salvador Monsalud incide Galdós en la misma idea:

–Ah Pipaón, aquí están poseidos de necedad! Persiguen a los mentecatos inofensivos y dejan en libertad a los perversos. ¡Ahorcan a los sargentos y permiten que todos los oficiales del Ejército se vendan a la masonería!

–Monsalud no es oficial del Ejército.

–Pero es malo, rematadamente malo, y listo...

–Todo es debilidad; las leyes no se cumplen; cada cual hace lo que más le agrada; son presos los pequeñuelos, mientras los grandes conspiran; alrededor del trono alzan su cabeza enmascarada de sonrisas la traición y la sedición; todos los militares trabajan sordamente en la masonería (78).

Poco después añadirá Galdós –por supuesto dentro de la trama-ficción del mismo episodio–: "No estaba yo muy seguro de las aficiones absolutistas de los oficiales del Ejército, especialmente de los pertenecientes a cuerpos facultativos...; pero no creí que las sociedades secretas estuvieran tan extendidas" (79).

Don Antonio –añadirá Galdós– dió una especie de silbido que indicaba la plenitud de su convicción en punto al enorme influjo de las sociedades secretas.

–Estás en Babia, Pipaón –me dijo sonriendo–. Las sociedades secretas, llámalas masonería, clubs, orientes o como quieras, ofrecen hoy una ramificación inmensa dentro de la sociedad. En ellas está comprometida toda clase de gente. ¿Crees que sólo los perdidos son masones? ¡Error, amigo mío, vulgaridad supina! Altos personajes...

–Eso lo sé también. Podría citar aquí media docena...

– ¡Media docena! Yo te citaré centenares. De algunos no tengo seguridad completa; pero de muchos no puedo dudarlo, porque tengo datos irrecusables. ¡Y qué hombres, y qué nombres! Precisamente los que mejor suenan en los oídos del absolutismo son los que más se pronuncian hoy en las logias. Ministros, tenientes generales y algún capitán general, vicealmirantes, infinidad de brigadieres, consejeros de Estado, alcaldes de Casa y Corte, familiares de la Inquisición; hasta inquisidores, hasta canónigos, hasta frailes hay en la masonería. No me asombraré de ver en ella a un señor obispo el mejor día... Por de contado, el núcleo, la base, el amasijo fundamental de este gran pastel que se está cociendo y que pronto fermentará, si Dios no lo remedia, lo forman los oficiales de todos los cuerpos que guarnecen la Corte y las principales ciudades y plazas del Reino (80).

Finalmente y para completar el cuadro militar-masónico, refiriéndose a los marinos y al problema suscitado con la mala calidad de los barcos comprados a Rusia, Galdós reproduce el siguiente diálogo:

—Los marinos han dicho que no se embarcan en ellos.

—¡Los marinos! ¿Ignoras que todos están vendidos a la masonería?...

Y como confirmación de lo anterior añadirá: "Fuí a Cádiz hace poco, y pude ver por mí mismo, cómo está aquella gente. Hay que oirles, amigo. Con decirte que no hay un sólo oficial que no esté afiliado en alguna sociedad secreta, está dicho todo: hablan con el mayor desparpajo del mundo de ideas liberales, de constituciones, de democracia, de soberanía nacional y aun de república" (81).

El siguiente paso, una vez que Galdós ha dejado bien claro el influjo de la masonería y la presencia de los militares en sus filas, será ver el papel desempeñado por dichos militares masones, con lo que incidirá en la problemática de las conspiraciones revolucionarias del momento, y en la ayuda de encubrimiento de los más comprometidos:

—Amigo Pipaón, desde el momento en que vas a ofrecer tu cooperación a los obscuros trabajadores de las logias, tu deber es amparar a los que se vean comprometidos... No te asustes; podría citarte una docena de señorones graves, firmísimas columnas del Estado en el Consejo y en la milicia, los cuales han sido encubridores de la mayor parte de los comprometidos en las conspiraciones de Porlier, Lacy y Torrijos (82). La historia secreta de estas tentativas es muy curiosa. Los pobrecitos inmolados ofrecieron con su sangre tributo externo al derecho público; pero tras los cadáveres de Lacy y Porlier, amiguito, se han escurrido impunes muchas personas cuyos nombres han sonado siempre bien en Palacio... (83).

Conspiraciones revolucionarias

Aquí nuevamente nos encontramos con la dicotomia

galdosiana, o mejor dicho tricotomía en la forma de enjuiciar la masonería. Lo que podríamos denominar "verdadera masonería"; la transformación que la masonería o pseudomasonería adopta en esos momentos en España; y la idea que de ella tiene el pueblo.

En el primer caso hay –al menos– un par de ocasiones en *La segunda casaca*, en las que se manifiesta una clara distinción entre masonería y revolución; entre las apariencias y la realidad:

–Señor de Pipaón, aprendamos a ver claro y a no juzgar a las personas por lo que aparentan. Yo mismo he visto a Lozano (84) en la logia masónica de la calle de las Tres Cruces.

–La verdadera masonería dicen que no es revolucionaria.

–Hay de todo; por ahí se empieza (85).

Pocas líneas más abajo volverá sobre lo mismo:

–Riéndome, no sé si de mí mismo o de qué, le dije:

–¿Conque soy masón?

–Masón no –me respondió–. La masonería, propiamente dicha no es revolucionaria, aunque el vulgo y los absolutistas llaman masones a los que conspiran. Ya te dije que esto no es una logia, sino una reunión; lo que en Francia llaman un club.

–De modo que no soy todavía masón, propiamente dicho? Pues bien: soy liberal (86).

Aquí es importante la distinción hecha entre logia y club, entre masonería verdadera –que no es revolucionaria– y esa otra pseudomasonería conspiradora que, para el vulgo y los absolutistas, venía a ser la misma y única masonería.

La otra cara de la moneda nos la ofrece Galdós en el

mismo episodio donde se recoge el siguiente expresivo diálogo:

—Ser masón es no ser nada si no se conspira —me dijo.

—¡Quiero conspirar! exclamé dando fuerte puñetazo sobre la mesa y metiéndome después las manos en los bolsillos.

—Pero no se conspira para aumentar la autoridad de la Corona, sino para disminuirla. No se conspira en pro del Rey, sino en pro de la Nación.

—Pues en pro de la Nación.

—Se conspira para restablecer el Gobierno liberal y la Constitución; es decir, lo que tú llamabas *la mamancia* cuando escribías en *La Atalaya* (87).

Y como complemento donde se establece la diferencia existente entre las logias masónicas y aquellas otras en las que se conspiraba, completará Galdós la escena así:

—Debo añadirte que hoy se hila un poco delgado debajo de Madrid.

—¡Debajo de Madrid!

—¿No me entiendes? En las logias y reuniones secretas, quiero decir. Hoy se toman precauciones. Cuando un señorón de categoría elevada, sea quien fuere, ofrece su ayuda a la Revolución, lo que ocurre todos los días, queda ligado por compromiso solemne, y las veleidades, querido Bragas (88), los arrepentimientos, suelen costar caros a quien los padece.

— Sí, ya sé... —dije inspeccionando otra vez la puerta, para cerciorarme de que nadie nos oía—. Hay pruebas rigurosas, palabras enigmáticas, juramentos que hielan la sangre en las venas..., y el que hace traición muere sin remedio.

—No hay nada de eso —me dijo riendo—. Huye de esas reuniones formularias que establecen el sainete en los sótanos. Ahora no se trata de eso. Cuando los pueblos padecen y luchan por su emancipación, obran seriamente y van a su objeto sin necedades de teatro. Ahora, amigo Bragas, las cosas han llegado a un punto tal que se trabaja por la Libertad a toda prisa, con la avidez del náufrago que entre las olas lucha con la muerte y por la vida... Fuera misterios y ritos anticuados y palabras vacías. Todo es acción: las tinieblas y el misterio han dejado de ser vano velo de las chocarrerías de los holgazanes. Yo lo he visto todo desde el principio; he visto las jimias haciendo muecas entre dos calaveras en la ahumada atmósfera de una cueva; y hoy veo a los hombres inteligentes y formales labrando en silencio y sin aparato las palancas poderosas con que pronto ha de moverse lo de arriba. Sólo en las épocas en que no hay nada que hacer existen esas vanidades y espantajos ridículos de que habla el vulgo. Ahora la inmensidad de la tarea une las manos de todos los hombres en una obra común, y desaparecen las máscaras convencionales y las fórmulas aparatosas, que más bien eran entretenimiento que utilidad. Eso no quita que en plena luz, y a la faz del mundo oficial y de la tiranía, se empleen ciertos signos para reconocerse y obrar de acuerdo; pero allá dentro, amigo, en nuestro reino escondido, en aquella vida de catacumbas donde se prepara la nueva vida libre y pública, todo es claridad y sencillez. Se trabaja, se extiende la acción con arte y fuerza; se prepara el golpe con la destreza y habilidad necesarias para que no se malogre como otras veces (89).

A pesar de la extensión de la cita, resulta suficientemente expresiva y clara la distinción que hace entre masonería y esas otras sociedades secretas donde se conspiraba. La primera es definida desdeñosamente como "reuniones formularias que establecen el sainete en los sótanos"; como "necedades de teatro" que se rigen con "misterios y ritos anticuados y palabras vacías", con "tinieblas y misterios" que no hacen sino ocultar "las chocarrerías de los holgazanes", y manifestar "vanidades y espantajos ridículos, máscaras convencionales y fórmulas aparatosas", que sirven más para entretenimiento que utilidad.

Sin embargo las sociedades conspiradoras tienen como finalidad la Revolución, la lucha por la libertad y por la emancipación de la tiranía, lo que obliga a tomar ciertas precauciones y a que se empleen "ciertos signos para reconocerse y obrar de acuerdo". El nombre de estas sociedades secretas que tan poco –por no decir nada– tenían que ver con la masonería, lo recoge Galdós cuando completando el cuadro dirá:

"Has de saber que esto no es logia masónica; es una junta de patriotas". Junta que tenía un programa revolucionario claro: "Derrocar el absolutismo y restablecer la constitución de Cádiz".

Sin embargo en los personajes que encarnan el pueblo, o los partidarios del absolutismo, la identificación entre masonería y conspiración es clara. Algunos ejemplos son suficientes:

– Y está Madrid plagado de miserables conspiradores y masones, los cuales, con horrible alevosía, tratan de hacer una revolución... (90).

***

– ¡Ah pérfido discípulo! Eres el cuervo que he criado para que me saque los ojos... ¿Conque te me has pasado a la masonería y a la Revolución! (91).

***

– Pero eso poco que falta debemos dárselo para aplastar de una vez al jacobinismo insolente, a las logias inmundas y a los liberales soeces que quieren cubrir de ruinas el suelo de España (92).

***

– ¡Fuera trastornos políticos, que alteran la santa armonía de la vida! ¡Fuera jacobinos y logias! (93).

***

– ¡Que vengan Riego y Quiroga (94) a desatarte!... ¡Oh!, si desde un principio hubieran puesto a la masonería y al ateismo como estás ahora, ¿habría revoluciones?... ¿Por qué no conspiras ahora?... (95).

La alusión a Riego y Quiroga nos pone en contacto con la interpretación histórica que Galdós hace de este período donde los militares llevaron la iniciativa –vis a vis del pueblo– en la lucha contra el absolutismo. "No quiero seguir adelante sin contar las abortadas conspiraciones que no recuerdo", nos dirá Galdós (96). Son no menos de 14 las conspiraciones que recoge de forma muy sintética. Y resulta revelador que tan sólo en cuatro de ellas menciona a la masonería, y no precisamente como protagonista de las mismas:

–1ª Conspiración para asesinar a Elío y a La Bisbal (1814). Fue una intriga misteriosa que unos atribuyeron a los masones y otros a la Corte (97).

***

—7ª Conspiración del conde de Montijo en Granada (1816). El tío Pedro del 19 de marzo en Aranjuez había sido después afrancesado en Bayona, agitador en Cádiz más tarde, y luego absolutista acérrimo en la Junta de Daroca. Hallándose de capitán general en Granada, dicen que preparó, ayudado del Grande Oriente, las sublevaciones militares que estallaron más tarde.

***

—9ª Conspiración de Torrijos en Alicante (1817). Proyecto de alzamiento militar en varias plazas de Levante. La Inquisición se encargó de castigar a los culpables, pero lo hizo tan mal, que desde entonces se dijo: *Inquisidores y masones, todos son uno.*

***

—12ª Conspiración del conde de La Bisbal en El Palmar (1819). Durante su vida política y militar, el Conde encendió una vela siempre al santo y otra al demonio. En 1814 cuando se dirigía a felicitar al Rey por su vuelta, llevaba dos discursos escritos, uno en sentido liberal y otro en sentido absolutista, para expetarle aquel que mejor cuadrase a las circunstancias. En 1819, después de merendar con los conspiradores de Cádiz y los oficiales del ejército expedicionario de América les arrestó de súbito, haciendo una escena de farsa y bulla que le valió la gran Cruz de Carlos III. El ejército estaba furioso. Padecía la fiebre democrática de la insurrección. Desde Madrid oíamos su resoplido calenturiento, y temblábamos. En las logias no había más que militares, infinitas hechuras de aquellos cinco años de guerra, los cuales habían de emplear en algo su bravura y sus sables (98).

Como se ve el papel atribuido por Galdós a la masonería en dichas conspiraciones se reduce prácticamente a nada, a pesar de que asegure que "en las logias no había más que militares". Ya aquí, nos podemos preguntar de qué logias está hablando, pues no cabe duda de que el confusionismo creado entre sociedades secretas en general, juntas patrióticas, clubs, masonería, etc., era una realidad favorecida por el uso de terminologías y formas organizativas comunes, aunque en los fines hubiera notables diferencias. En cualquier caso el propio Galdós se hace eco de este confusionismo:

– Yo renegaba de los masones, y del liberalismo y de la Corte, y de la Constitución del 12, y de los derechos del pueblo, y de toda la monserga con que en las reuniones me volvieron loco, haciéndome cómplice de tales extravagancias... Yo estaba furioso; maldecía los clubs y a quien los inventó; y maldecía también a Ugarte que me había catequizado y a Monsalud (99), que fue mi bautista en aquellos obscuros antros de necedad y jacobinismo.

–La revolución fracasaba sin remedio... (100).

Persecución de la masonería

El penúltimo apartado correspondiente al primer grupo con que hemos dividido la segunda serie de los episodios, es el relativo a lo que podríamos señalar de forma un tanto genérica como persecución de la masonería, pero que queda muy ceñida a ciertos personajes del mundo galdosiano, más que a una verdadera rememoración institucional del hecho.

Así, por ejemplo, es sintomático lo que en *La segunda casaca* dice de cierto marqués:

–Era familiar de la Inquisición, hombre cruel y absolutista tan fanático, que se pasaba la vida buscando masones por todos lados, y averiguando picardías de liberales para contárselas al Rey. Tenía en 1819 gran privanza en Palacio; pero le hacía sombra Villela (101), de quien se contaban no sé que masónicas liviandades (102).

Más adelante, y utilizando los mismos personajes, dirá:

—Ya nos cayó qué hacer —dijo jovialmente Villela, sacando su caja de tabaco—, porque el señor don Buenaventura (103) va a entregarse a la persecución de masones con un celo lamentable, y ahora..., ya se sabe..., vamos a ser masones y jacobinos todos los que no pensamos como él. Seré masón yo, será masón usted...

—¡Yo!... —dijo el Ministro.

—Sí; ahora, amigo mío, todo aquel que no tenga la suerte de agradar al señor Marqués..., ya se sabe.

***

—Hace tiempo que en esta casa somos tratados como perros todos los que no tenemos esa acendrada admiración y culto que el ínclito marqués de M*** (104).

—¿Como perros?

—O como masones.

***

—Ya se cobrará los favores que ha recibido; descuide usted. Ahora es corriente; todos somos masones. Preparémonos, señor don Juan Esteban (105), a que caiga sobre nosotros la familiaridad del familiar (106).

Y como remate de la escena unas líneas más abajo prosigue Galdós dentro del mismo diálogo:

—Villela me dijo al despedirme:

—El Ministro y yo vamos a hablar de masonería. Si ve usted a don Buenaventura, denúnciele esta logia.

—Pues hablemos de masonería —repitió Lozano sentándose junto a la corpulenta humanidad de su amigo.

***

—Los espías que pago son perros jóvenes que apenas tienen olfato... Se equivocan siempre. Denuncian un conspirador hereje en tal cual buhardilla; vamos allá, y resulta un ex-abate hambriento que compone villancicos y romances para los ciegos... Nos hablan de una logia, corremos a ella, y después de rompernos las piernas contra las chimeneas, hallamos un altar donde se adora entre flores y velas a la Santísima Virgen... O los espías no sirven para el oficio, o la sociedad toda es una mentira, pura hipocresía y enredo... (107).

Respecto a la eficacia de los "espías" de la Inquisición, en otro lugar dentro del mismo episodio, dirá:

—¡Espías! los de la Inquisición, lo mismo que los del Gobierno, están vendidos a los masones —afirmó Jenara (108) con desprecio (109).

En esta misma línea, pero en un contexto distinto, es coincidente el pensamiento galdosiano cuando dice:

—Pues qué, ¿no es sabido que los conspiradores, masones, o lo que sean, burlan la Policía y la Justicia, cual si estuviesen de acuerdo con el Gobierno? (110).

Y como si fuera una confirmación de lo anterior, en otra escena, volverá Galdós sobre este asunto al referirnos lo que sucedía con alguno de esos espías:

—Tan lejos estaba el bendito Marqués (111) de tenerme por liberal, como de creer que llovían calabazas. Muy al contrario, me juzgaba empalagado de amor por el absolutismo, y en ley de tal me hacía confidente de sus proyectos y lo bien que le iba saliendo el expurgo y limpieza del Reino. Para que no sospechase, yo me deslenguaba en denuestos e injurias contra los liberales, y alguna vez iba con el cuento de una logia descubierta por mí o de una confabulación fabulosa. De este modo favorecía a mis nuevos amigos, porque, si nos reuníamos en tal calle, llevaba yo el soplo de que la cita era a legua y media de allí. De este modo, mientras la logia estaba tranquila, descomunal nublado caía sobre una junta de cofradía o merienda de artesanos pacíficos (112).

Concepto popular de los masones

Como punto final en el que se sintetice de nuevo el concepto popular de los masones, se pueden citar algunas expresiones recogidas acá y allá, en las que se identifican los masones con los herejes:

—Los herejes y masones son como el humo: les ve uno y no puede echarles mano (113),

con los volterianos:

— ¡Ay! Aquella noche las almas se desbordaban de gozo viendo destruida la infame facción, muerta la herejía, enaltecido el sacrosanto culto, restaurado el Trono, confundidos volterianos y masones.

***

— ¡Oh! Ver a Madrid limpio de liberales, de gaceteros de discursionistas, de preopinantes, de soberanistas, de republicanos, de volterianos, de masones! ¡Esto era para enloquecer al menos entusiasta! (114),

y con ciertos "pajarracos" y "gente de mal vivir":

—Se lamentaba de que los revolucionarios fueran tan malos; pero en más de una ocasión le sorprendí en secreto con ciertos pajarracos que a cien leguas me olían al musguillo húmero de las logias y a la sociedad secreta... (115).

***

—Algo más sería —afirmó doña María de la Paz con verdadera saña—. Descubrióse que andaba en logias, escribiendo papeles y reclutando gente de mal vivir (116).

Se llegan a establecer incluso ciertos paralelismos entre las logias y los aquelarres:

—Sé que me calumnian; sé que algunos se atreven a sostener que estuve en Salamanca en una sociedad masónica... ¿Por ventura estas mis venerables canas y esta entereza filosófica que debo a mis estudios son a propósito para degradarse en logias y aquelarres? (117).

Por último no falta quien califica a los masones de "infames" secuestradores del rey para implantar la república iberiana:

—Y qué trasudores y congojas hubimos de pasar en todo abril, ora creyendo segura la llegada del rey con el desquiciamiento de todo el catafalco constitucional, ora sospechando que los infames francmasones nos secuestrarían al suspirado rey, haciéndole perdidizo en cualquier desfiladero, para encajarnos la república Iberiana, que tanto daba que hablar en los barrios bajos y en los claustros de mendicantes (118).

Pero para que la visión negativa de los masones quede un tanto compensada, en un cierto momento, Galdós echará un capote, en una escena en la que precisamente se trata de captar a la causa a uno de "los espías y buscadores de masones" (119). Después de observar que era "un suicidio tratar de oponerse al creciente poder de las sociedades secretas" (120), añadirá:

–Hazte masón, con reservas, se entiende. No creas que en las sociedades secretas es todo misterio, lobreguez, sangre, horror, barbas luengas, palabras enigmáticas; nada de eso. Hoy, los masones son la gente más cortés y más amable del mundo... (121).

III. EL GRANDE ORIENTE

Dentro de la división convencional realizada para la segunda serie de los Episodios, el segundo grupo corresponde en su integridad al titulado *El Grande Oriente*.

El hecho de que Galdós, en un momento dado, dedique todo un episodio al tema de la masonería nos muestra la importancia que da, en la reconstrucción de la historia española del primer tercio del siglo XIX, al fenómeno de las sociedades secretas, y en especial a la masonería. El equiparar, por así decir, el Grande Oriente con Trafalgar, Bailén, o el asedio de Zaragoza o Gerona, o con la batalla de Arapiles, es todo un síntoma. Sin embargo, la importancia de espacio y lugar, tal vez, no corresponde en igual medida, ni es equivalente de una valoración positiva de la masonería por parte de Galdós.

Descripción de la masonería

Como ya se indicó más arriba, Galdós establece en este episodio una diferencia entre la masonería extranjera y la española, o entre lo que él considera la verdadera masonería, y lo que en España respondía al nombre de masonería, durante el Trienio Constitucional, que es el período en el que se desarrolla la acción de *El Grande Oriente.*

Ya desde el comienzo hace una expresiva descripción del Grande Oriente español, precisamente a través de uno de sus miembros [dentro de la trama de la novela] que solicita la dimisión del mismo:

—... Porque estando convendido de que ese Oriente es un centro de libertinaje y de anarquía, y tal como está organizado produce efectos contrarios a los verdaderos principios liberales, deseo que se me considere como Hermano Durmiente y se aparte mi humilde persona de todos los trabajos de la Orden... (122).

Y más adelante añadirá:

—Antes me dejaré matar —dijo Monsalud en un arranque espontáneo— que contribuir a este desorden y figurar en una sociedad que es un hormiguero de intrigantes, una agencia de destinos, un centro de corrupción e infames compadrazgos, una hermandad de pedigüeños.

—¡Ah, ya veo, ya comprendo de quién habla usted! —exclamó Sarmiento (123), soltando rápidamente la escoba y sentándose frente a su amigo—. Esos intrigantes, esos compadres, esos pedigüeños, esos hermanos son los masones. Bien, muy bien dicho; todas esas picardías las he dicho yo antes que usted, y las repito a quien quiera oirlas. El Grande Oriente perderá a España, perderá a la libertad, por su poco democratismo, sus transacciones con la Corte, su repugnancia a las reformas violentas y prontas, su templanza ridícula, su orgullo, su justo medio, su doceañismo fanático, su estancamiento en las pestíferas lagunas de lo pasado, su repulsión a todo lo que sea marchar hacia adelante, siempre adelante por la senda constitucional (124).

Frente a esta masonería politizada, al menos en dos ocasiones, sale Galdós por los fueros de la que él considera verdadera masonería. En la primera –como hemos visto más arriba– dirá que "no puede formarse juicio exacto de la masonería por lo que esta institución ha sido en España. Los masones de todos los países declaran que la Sociedad del compás y la escuadra existe tan sólo para fines filantrópicos, independientes en absoluto de toda intención y propaganda políticas. En España, por más que digan los sectarios de esta Orden... los masones, han sido, en las épocas de su mayor auge, propagandistas y compadres políticos" (125). En este caso habla en primera persona; es el propio Galdós el que así se expresa.

Un par de capítulos más adelante volverá sobre la misma idea, pero utilizando a uno de sus personajes –Aristogitón (126), grado 18–, nombre simbólico masónico que corresponde al protagonista de turno, Salvador Monsalud, quien según la trama del episodio, y en un contexto de historia ficción, presenta en logia una proposión pidiendo al Grande Oriente de Madrid interceda en favor de Vinuesa (127) y demás encarcelados a raíz de una supuesta conspiración absolutista. Es entonces cuando reproduce las siguientes palabras del masón Aristogitón:

–Decía que desconfío de que mi proposición tenga éxito aquí, a pesar de ser la expresión más leal y clara del espíritu y de las prácticas constantes de este respetable Orden en todos los países del mundo; y no tendrá éxito, porque este Gran Oriente y los individuos que en diversos grados dependen de él han olvidado completamente los fines benéficos, desinteresados y filantrópicos de tan antiguo instituto, para desvirtuarlo y corromperlo, haciéndolo instrumento de intereses políticos y de la codicia... (128).

***

—El instituto masónico debe ser extraño a la política, debe ser puramente humanitario, debe proteger a los desvalidos sin pedirles cuenta de sus ideas, y aun sin conocer sus nombres. Está fundado en la abnegación y en la filantropía. Lo dicen así su historia, sus antecedentes, sus símbolos, que o no representan nada, o representan una asociación de caridad y protección mutua. Lejos de practicarse estos principios en España, el Orden se ha olvidado de los menesterosos, constituyéndose en agencia clandestina de ambiciones locas, en correduría de destinos y en... (129).

***

—Señores masones, o señores liberales templados, que ahora viene a ser lo mismo, sóis como aquel emperador romano que se ocupaba en cazar moscas, y mientras mortificaba a estos pobres insectos, no veía a los pretorianos que se conjuraban para echarle del trono... (130).

***

—Poniéndome, pues, en el terreno político, a pesar de creerlo impropio de esta Sociedad; hablando el único lenguaje que entienden aquí, declaro que la persecución de Vinuesa, y mucho más la sañuda irritación del pueblo contra ese hombre infeliz, me parecen una desgracia casi irreparable para la libertad, un mal gravísimo que este Orden debe evitar a toda costa, principiando por propagar la tolerancia, la benignidad, la cordura, y concluyendo por emplear toda su influencia en pro de los procesados. Si no se hace así, esto que llamamos templo merece que el mejor día entren en el cuatro soldados y un cabo, y que después de entregar todos los trastos del rito a los chicos de la calle para que jueguen, recojan a los hermanos todos para llenar otras tantas jaulas en el Nuncio de Toledo (140).

La escena que, como se ve, va subiendo de tono, terminaría con la petición por parte de los "hermanos" de que el protagonista de semejante escándalo, perdiera en absoluto sus derechos masónicos, petición a la que se adelantaría el propio acusado diciendo:

—Me expulsaré yo mismo, abandonando para siempre este Orden inútil, enfermo, podrido, que si aún respira y habla como los vivos, ya infesta como los cadáveres (141).

Crítica de la masonería

Tras esta "descripción" de la masonería española, Galdós bajará todavía a más detalles en su crítica contra dicha asociación, ridiculizando al máximo sus rituales, al igual que lo hizo en la primera serie de los episodios. En este sentido demuestra tener un buen conocimiento de los mismos, cosa que, por otra parte, no era de extrañar en la época en que él escribe, pues, como hará constar, los misterios de la Orden habían pasado "al dominio de las gacetillas" (142). Conocimiento que se hará extensivo a la terminología masónica, a la ambientación decorativa de las logias, a las reuniones masónicas, etc.

Precisamente se servirá Galdós en su crítica, de una de las cosas más sagradas de la masonería: la ceremonia de iniciación.

Terminología masónica

Dicha ceremonia va precedida de un doble preámbulo en cuya primera parte hace una exhibición de terminología masónica, y en la segunda intenta hacer una breve descripción del local donde se iba a reunir la logia:

–Todavía no se había descubierto el templo. No era aún la hora de la *tenida*, y los *Hijos de la Viuda* (134), descansaban de las fatigas políticas en sus casas o en los cafés, esperaban que la *luz astral* de la noche marcase la hora propia para los trabajos del *Arte Real* (135). Los *Maestros Sublimes Perfectos*, los *Valientes Príncpies del Líbano o de Jerusalen*, los *Caballeros Kadosch*, los que antaño se llamaban *Gerográmatas*, los *Hierorices*, los *Epivames*, los *Dadouques*, los *Rosa Cruz* (136) de hogaño, los hermanos todos, desde el *Terrible* hasta el *Sirviente* (137); los aprendices, compañeros y maestros, desde los de mallete hasta los de cuchara, estaban ocupados en el *agape* doméstico, o bien conversando con sus *mopses*, jugando con sus *lovatones* o matando el tiempo en las reuniones profanas, lejos de la *verdadera luz* (138). Las *estrellas* no se habían encendido todavía, ni el *mirto eleusiaco* (139) exhalaba su aroma. Imperaba la rosa, emblema del silencio, y la imponente exclamación *Ossé* no había resonado aún bajo las *bóvedas orientales* (140). En una palabra (y hablando con claridad para inteligencia de los ignorantes), la sesión de la logia no había empezado todavía.

–En la *Caverna de Mithra*, o sea, el Universo, hay un punto que se llama *Mantua* (141), o Madrid, en cuyo punto es evidente la existencia de una calle llamada de las Tres Cruces (142). En esa calle cualquier curioso, aunque no tenga sus oídos abiertos a la *verdadera luz*, podrá ver una tienda de sastre; y si penetra en ella para que el supremo arquitecto de las levitas le tome medida de una; si durante esa fastidiosa operación alza los ojos a la *bóveda del firmamento*, vulgo cielo raso, verá sin duda que por aquellos descoloridos y descarados yesos se pasean soles, lunas, rayos que fueron de oro, cordones, triángulos, estrellas pitagóricas y otros signos. Al ver esto sentirá en su alma profundísima emoción de respeto, y dirá: "Aquí estuvo el gran templo masónico en los tres *llamados* años, del 20 al 23" (143).

Como se ve, en ambos casos, tanto en la exhibición de terminología masónica, como en la descripción del que fuera templo de los masones del trienio liberal, el tono, un tanto despectivo, de Galdós, da la pauta de lo que va a constituir el relato, que una vez más lo hace abstrayéndose de la escena y asistiendo a la misma como espectador ajeno de la misma:

—Siguiendo nuestra relación (y dejando que pasen algunos días después de las escenas últimamente referidas, lo cual nos lleva a los últimos de febrero de 1821), nos dirigimos allá. Es temprano: es la hora en que hierven los clubs; la hora en que *Lorencini, La Cruz de Malta* y *La Fontana* son otras tantas ollas donde burbujean con rumoroso y mareante zumbido las pasiones políticas, entre el chisporroteo de las envidias y el resoplido de las ambiciones. Todavía es temprano, porque los trabajos masónicos *se abren* (este tecnicismo obliga frecuentemente a no hablar en castellano) a hora más avanzada.

—Aún está a oscuras el edificio de la calle de las Tres Cruces. Reconocemos el *vestíbulo*, la sala de *Pasos perdidos* donde campean los *Cuadros lógicos*, y no hallamos persona viva. Oyense tan sólo los pasos de un *hermano sirviente* que va y viene, poniendo en su sitio las lámparas de aceite que bien pronto se han de llamar *estrellas polares, astros* o *nebulosas*. Por último, vemos que entra un hombre con ademán resuelto, como persona muy hecha a semejantes lugares y observando que adelanta sin recelo alguno, nos apresuramos a seguirle tomándole por guía en el laberinto de galerías y salas. El desconocido se acerca al *sirviente*, y después de saludarle con signos que no nos es posible determinar, pronunciando una especie de santo y seña, le hace esta pregunta:

–¿Está el señor Canencia? (144)

–En la *Cámara de Meditaciones* le hallará usted, señor Monsalud (145).

Más adelante y en otro contexto dirá que los masones llamaban al vino *pólvora roja*; al vaso *cañón*, y a los brindis, *salvas*, no siendo fácil "comprender la misteriosa relación simbólica entre la embriaguez y la artillería" (146).

Como complemento de lo anterior dirá varios capítulos más atrás:

– Tus declaraciones merecen una *salva*. Echemos *pólvora fulminante* en el *cañón* y disparemos.

–Los masones llamaban pólvora fulminante al *ron*. El *cañón* y la *salva* ya sabemos lo que eran.

–¡*Fuego*! –dijo Monsalud, llevando la copa a sus labios.

–¡Fuego! –repitió Campos (147).

–Los del *Arte Real*, en sus *tenidas* de banquetes, pronunciaban esta voz de mando para indicar los brindis (148).

Sin salirnos de la cuestión, y como si Galdós sintiera la necesidad de manifestar su conocimiento de la terminología masónica, en otra ocasión, recoge el siguiente diálogo:

–Pues lo pasado, pasado –dijo Campos–. Amigos otra vez. Olvidemos las ofensas que mutuamente nos hayamos hecho.

–*Pasemos la trulla.*

–*Trulla* era la cuchara del albañil, y la idea de *pasarla* indicaba olvido y perdón de las injurias, idea que bien podía expresarse hablando como la gente.

–Ahora me toca a mí –dijo Salvador (149).

–Ahora te toca a tí –añadió Campos, sacando dos cigarros habanos y ofreciendo uno a su amigo–. Ahí va esa *pólvora del Líbano*. Fumemos (150).

Dejando a un lado el uso de abreviaturas masónicas, de las que también manifiesta Galdós estar al corriente (151), volvamos a la ceremonia iniciación.

La cámara de meditaciones

Tras este exhibicionismo de tecnicismos masónicos se ocupa Galdós de ridiculizar la célebre *Cámara* masónica, que siempre ha sido objeto de intrigas y falsas interpretaciones por parte de cuantos han escrito de la masonería desde fuera.

–Le seguimos denodadamente, aunque el nombre de *Cámara de Meditaciones* nos da cierta comezoncilla de miedo, por haber oído que es un recinto pavoroso que hace enflaquecer el ánimo más esforzado. A pesar de esto, penetramos detrás del gallardo joven, y desde el mismo instante sentimos temblores y escalofríos al ver una habitación toda colgada de negro, no puede decirse que alumbrada, sino entristecida por macilenta luz. Damos diente con diente y el cabello se nos eriza al observar que en diversas partes de la triste estancia cuelgan, cual objetos en testeros de tienda, cantidad de huesos y calaveras, y que medio esqueleto se apoya contra la pared mirando con desconsuelo al otro medio, o sea, los fémures y tibias que fueron de su pertenencia y ora yacen en el suelo.

– En la sepulcral pieza hay una mesa, y junto a esta

mesa se ocupa en *burilar una plancha*, o sea, extender un acta (hablando a lo cristiano) un viejo de cabellos blancos. No atendemos a las demostraciones amistosas que hace a nuestro introductor, ni a las palabras de éste; por ahora atentos sólo al conocimiento del local, fijamos los atónitos ojos en algunos letreros que entre hueco y hueco adornan las paredes, y leemos: "Si vienes impulsado por una mera curiosidad o por otro móvil aún peor, retírate; no trates de descubrirla, porque penetraremos tus intenciones". Volvemos la cabeza y nos sale al encuentro otro parrafillo: "Si tu conciencia está tranquila, ¿por qué sientes disgusto ante estos despojos que te recuerdan el fin de tu vida?". Otro letrero dice: "¿Siente tu alma temor? Pues retírate, porque sólo un espíritu fuerte puede soportar las pruebas a que has de ser sometido". "¿Te hallas dispuesto a sacrificar tu vida en aras del progreso humano?" (152).

Una vez hecha la descripción del interior de la Cámara, Galdós nos explicará la ceremonia que se preparaba, sin dejar su actitud despectiva, entre crítica e irónica hacia unos ritos que, tal vez sin llegar a comprender su auténtico simbolismo, le parecen un "juego de chiquillos":

–Poco a poco nos vamos familiarizando con el fúnebre y medroso espectáculo, y echamos de ver que la Cámara, lo mismo que su extraño mueblaje, tienen cierto sello de arrinconados cachivaches de teatro, dicho sea con perdón de las humanas calaveras. El polvo que las cubre, el desorden y abandono con que están colocados los huesos y las inscripciones, indican que todo aquello está en lamentable desuso. Era la *Cámara de Meditaciones* un recinto donde encerraban al catecúmeno para que se preparara su ánimo antes de ser recibido como aprendiz por la congregación masónica. Lo primero que tenía que hacer el pobre profano, una vez que lo metían bonitamente allí, era otorgar su testamento y contestar por escrito a varias preguntas, con objeto de mostrar su manera de discurrir y los gramos de sal que tenía en la mollera. Formuladas las respuestas, un hermano entraba con el rostro cubierto en la Cámara, y recogiendo aquéllas, las entregaba al *Venerable*, que ya estaba presidiendo la sesión o *tenida*. Leíanse las pruebas del talento del neófito, y si no resultaba alguna barbaridad estupenda, concedíanle el goce de la verdadera luz. Aquí empezaba una serie de ceremonias de que la gente de todos los tiempos se ha reído mucho; pero dicen los masones que hasta sus más insignificantes gestos y signos tienen un sentido no menos profundo que los ritos de las religiones india, judaica y cristiana. Digan lo que quieran, las ceremonias de estas religiones, aun consideradas tan sólo desde el punto de vista artístico, tienen un sello especial de grandeza, e idealidad; las masónicas, que sólo vagamente responden a una idea filosófica, parecen, por lo general, un juego de chiquillos, dicho sea con perdón de los *Valerosos* y *Soberanos Príncipes* (153).

Ceremonia de iniciación

A partir de este momento va a empezar propiamente la ceremonia de iniciación que es calificada por Galdós de "sainete":

—Cuando se acordaba que el profano tenía bastante entendimiento para ser masón (y no debían de ser grandes las exigencias del tribunal), vendábanle a mi hombre los ojos para conducirle a la logia, que estaba comunmente a dos pasos de la *Cámara de Meditaciones*. Daba él un golpecito en la puerta, y un masón, a cuyo cargo corrían las funciones de *primer celador*, decía con la voz más campanuda posible: "Venerable, llaman profanamente a la puerta del templo".

— El *Venerable*, aunque sabía bien quién llamaba y por

qué llamaba, se hacía el sorprendido, diciendo con acento solemne: "Ved quien es".

–Intervenía entonces otro funcionario que se llamaba el *guarda interino*. Este salía en averiguación del profano forastero que a deshora turbaba la tranquilidad augusta de la logia, y entonces el hermano que acompañaba al neófito decía: "Es un profano que desea ser iniciado en nuestros secretos".

–Por fín, después que habían mareado bastante al pobre lego, le dejaban entrar, no sin que dijera antes su nombre, edad, naturaleza, estado, religión, profesión y domicilio. El hermano que le presentaba ponía fin a su alta misión con estas palabras: "Ahí os lo entrego; ya no respondo de él".

–Sería molesto y ocioso referir –prosigue Galdós– la serie de preguntas que el *Venerable*, desde la celeste luminosa altura del Oriente, dirigía al neófito. Después de las preguntas empezaban las pruebas, a fin de ver, según el código masónico, "hasta qué punto la tortura física influye en la lucidez de las ideas del neófito, y conocer su energía, su carácter", etc. Aquí venían las figuradas copas de sangre, los homicidios de mentirijillas, los testarazos que no pasaban de broma, los *cálices de amargura*, cuyo licor ha sido siempre muy conocido en la Fuente del Berro; las abluciones en un pilón denominado *Mar de bronce*, y otros sainetes, algunos de los cuales recibían el nombre de *viajes*, y lo eran, en efecto, por los imaginarios países de Babia. Al *recién nacido* le asistía en tales actos un individuo a quien le llamaban el *hermano terrible*, siendo común que desempeñara tal comisión y llevase el atroz mote algún bonachón tendero de la plaza Mayor o manso escribientillo de cualquier oficina (154).

Después vendrá el terrible juramento, para cuya promesa –dirá Galdós–, no es preciso "hacer el payaso":

–En seguida juraba el recipiendario prometiendo realizar cosas muy buenas, para las cuales no es preciso seguramente hacer el payaso, pues multitud de personas socorren a sus hermanos en la *Caverna del Mithra*, vulgo Mundo, sin necesidad de que se lo mande un *Venerable*, ni de que le mareen con preguntas vanas después de bailar el minueto entre un *Caballero Kadossch* y un *Príncipe del Líbano*. El juramento no era la última ceremonia, pues ningún profano podía dejar de serlo hasta que no le sobaban de lo lindo. Al golpe de *malletes*, o sea, martillos de palo, caía la venda de los ojos del neófito y se encontraba rodeado de llamas y espadas (155).

Finalmente "las pesadeces del rito" concluyen bajo la acerada pluma de Galdós de esta forma:

– ¡Tremendo, crítico instante para aquel que creyera iba a ser mechado y asado culinariamente...! Pero las llamas eran pintadas y las espadas de hoja de lata. El *Venerable*, compadecido entonces sin duda de la situación de aquel po bre hermano metido dentro de una hoguera y entre punzantes aceros, procuraba tranquilizarle diciéndole que las llamas y espadas no eran otra cosa que una imagen del remordimiento que *desgarraría el alma del recién nacido* si llegaba a vender los secretos de la Sociedad. Con esto quedaban terminadas las fórmulas, y respiraba con libertad el iniciado viendo concluidas las pesadeces del rito. Pero a lo mejor tomaba la palabra el *Venerable*, que era por lo común un hombre, si no digno de veneración, muy convencido de la importancia de aquellas comedias, y les espetaba un discurso, llamado entre ellos *pieza de arquitectura*, encareciendo la sublimidad de la masonería, y revelándole algo de lo concerniente al grado primero o de aprendiz. Este dejaba de llamarse Juan o Pedro, y tomaba con singular modestia el nombre de Catón, Horacio, Cocles, Leibnitz u otro cualquier personaje célebre (156).

Reflexiones sobre el ritual

A partir de este punto es cuando Galdós hace esa serie de reflexiones entre la masonería extranjera y la española —ya recogidas más arriba— (157), y en las que Galdós desenmascara la masonería que él vivió de cerca, y la que relata en su episodio, para decirnos que no era otra cosa que "una poderosa cuadrilla política", "una hermandad utilitaria" y "un colosal centro de intrigas", que no se ocupaba más que de "política a la menuda".

Dentro de esta misma tónica de crítica un tanto acerada, otro de los pasajes donde Galdós se tira a degüello es en una escena en la que el protagonista de turno —Monsalud— pretende abandonar la masonería, y uno de los máximos responsables de la misma intenta persuadirle de lo contrario:

—El creer que esto es una casa de locos no es motivo para querer salir de ella, señorito Aristogitón. Quédate aquí, quédate, sin perjuicio de que *in foro consciencíae* te rías un poquillo de la parte externa, ¿entiendes? Yo también, si he de decirte la verdad, me río algunas veces.

—Pues si usted se ríe, amigo don Bartolo (158) —dijo Monsalud, siguiendo el consejo del anciano—, es un hipócrita, porque usted es el hermano secretario y orador de la Sociedad; usted es el erudito, el que explica las leyes de la masonería, el consultor general, el que lo sabe todo dentro de esta casa, el que ordena los ritos, el que explica lo que los demás no entienden; usted es el sacerdote, el mago, el patriarca, el senescal, el archimandrita, el santón, el hierofante o no sé qué nombre darle, porque no sé todavía qué especie de religión, secta o jerigonza es ésta. Usted es el que predica cosas enrevesadas y enigmáticas que no entendemos; usted es el que dibuja garabatos en los diplomas; usted, asistido de su ayudante el señor Regato, fue quien puso aquí esos huesos y esas calaveras que están abriendo la boca para decir que las vuelvan a la tierra; usted escribió estos tarjetoncillos y puso las granadas abiertas, las columnas, los triángulos y la soga, y lo que llaman el *Delta*, el sol, la luna, el dosel, la J y la B, el cirio y demás signos y majaderías. Si después de hacer esto se ríe usted de los masones..., vamos, se comprende en qué consiste el ser sabio y filósofo (159).

Tras esta nueva exhibición de tecnicismos y críticas despectivas, el resto lo constituye la interpretación galdosiana del ritual:

—¿Tú no sabes que al pueblo, al vulgo, al común de las gentes, o como quiera llamarse a esa turbamulta ignorante e impresionable, es preciso meterle las ideas por los ojos? Ya es un gran adelanto que hayamos desterrado los símbolos y fórmulas absurdas de las religiones. Para inculcar en esas cabezas de estuco el culto y veneración del Ser Supremo, hay que proceder con paciencia. ¿Hemos de decirles que lo mejor es adorar a Dios bajo la bóveda de los cielos? No, mil veces no; mientras haya hombres es preciso que haya simbolismo, y mientras haya simbolismo es preciso que haya imágenes, o a falta de imágenes, garabatos, cositas raras y de difícil inteligencia... Vaya, amiguito, no repitas la vulgaridad de que soy un farsante. Equivaldría esta calumniosa especie a llamar farsante al Papa y demás gigantones del catolicismo, y no lo son; dentro de su esfera, desde su punto de vista, no lo son. Lo que yo siento es que la gente va perdiendo el respeto al ritual, y llegará día en que miren todo esto como miran los curas dentro de la sacristía los objetos de su oficio (160).

Tenida ordinaria

Unas páginas más adelante y en otro contexto, pues ya no se trata de una iniciación, sino de una "tenida" o asamblea ordinaria, Galdós va a aprovechar la ocasión para hacernos una minuciosa descripción de la decoración interna de una logia:

– La logia era un salón cuadrangular, muy mal alumbrado y peor ventilado, de techo plano y no muy alto, de paredes sucias y más parecido a cuadra o almacén que a templo de una religión que dicen tenía entonces en todo el mundo ocho o diez mil logias. En los cuatro testeros, otras tantas palabras de doradas letras indicaban los puntos cardinales, correspondiendo el *Oriente* a la presidencia, presbiterio, *sancta santorum*, altar mayor o como quiera llamársele, a cuyo sitio, más elevado que el resto del local, se subía por tres escalones. Para que todo se pareciera a un recinto religioso serio, había un doselete de terciopelo, en cuyo centro resplandecía un triangulillo, al cual para hablar con la menor claridad posible, llamaban ellos *Delta*. Dentro de él se veían unos garabatos que indicaban el nombre de Dios puesto en hebreo, también para mayor claridad; pero ya es sabido que ningún signo masónico ha de estar al alcance de los tontos. Lo que sí se entendía perfectamente era el sol y la luna, dos caricaturas de aquellos astros pintadas a derecha e izquierda del Delta, o como si dijéramos, al lado del Evangelio y al de la Epístola.

–En igual disposición respecto al presidente estaban los sitios del hermano orador y del secretario. Cierto es que las mesillas de que se servían fueran más útiles teniendo la forma cuadrada; mas era indispensable no abandonar el triangulillo siempre que se pudiera, y por eso las mesas eran de tres picos. También tenían un poco más abajo bufetes típicos el tesorero y el hospitalario. En el remoto *Occidente*, es decir, junto a la puerta, se elevaban dos columnas rematando en granadas entreabiertas. Una columna tenía la J y otra la B, letras que al parecer querían decir *Juan Bautista*, pues también al precursor del Mesías le metieron de cabeza en la heterogénea liturgia masónica, donde los misterios egipcios y mil desabridas fábulas se mezclan gárrulamente con el mosaísmo, el paganismo, la religión cristiana, la revolución inglesa y la filosofía del siglo de Federico. Junto a las columnas se repetían las mesillas triangulares, una para el primer vigilante y otra para el segundo.

—El techo no carecía de interés. Por encima del doselete destinado a guarecer la calva del presidente, asomaban unas listas doradas representando los rayos del sol con dudosa fidelidad. En el friso había varios garabatos, obra de indocto pincel, a los cuales se atribuían intenciones de querer expresar los signos del zodíaco; y por debajo de ellos corría, también pintada, una soga, símbolo de unión y fuerza. La estrella pitagórica andaba también de paseo por aquellos altos cielos, testimonio de grandeza del Supremo *Demiurgos* (Dios), y en su centro llevaba la letra G. significando *gnos*, palabreja que hasta los niños entienden, sin necesidad de aprender, que significa *generación*. Completaban el sublime ajuar cuatro candelabros con sendas *estrellas*, que en el mundo ordinario llamamos velas, y, por último, la consabida batería de trastos, espada ondulante, compás, escuadra y el ejemplar de los estatutos. No había ventanas, ni más puertas que la de entrada, porque era de rito el ahogarse (161).

Aquí desconcierta un poco que dentro del relativo conocimiento que Galdós tiene de los misterios de la masonería, sin embargo, de vez en cuando "hace agua", a no ser que lo realice expresamente dentro de ese juego de crítica acerada e irónica. Por ejemplo la interpretación que aquí hace de las columnas J y B, que dice significan *Juan Bautista*, es totalmente falsa, pues su verdadero simbolismo es el de Jackin y Boaz, imitación de las que Hiram colocó ante el vestíbulo del templo de Jerusalén (Jackin a la derecha, y Boaz a la izquierda) según consta en la Biblia (162).

Otro tanto podríamos decir del *guarda interino* mencionado en la ceremonia de iniciación, cuando hubiera sido más justo decir *guarda interior*. Pero dejando de lado estas minucias lo cierto es que en este y otros pasajes Galdós se mueve en un terreno conocido. Así, habla de *tenidas* ordinarias y tenidas de Príncipes del grado 31, de la sala de *pasos perdidos*, del masón que por espacio de algunos meses había estado *dormido*, del acto de *descubrir* el templo, etc. (163).

También incide en lo mismo cuando habla del *Venerable* o presidente que es descrito con cierta simpatía por Galdós, hasta el extremo de que hasta "los atributos y arreos de la masonería, que no tienen comunmente nada de airosos, le sentaban a maravilla" (164). En cualquier caso el toque de crítica irónica, más o menos fina, no falta nunca, y lo mismo ocurrirá cuando relate la entrada de los masones en la logia:

– Tomaron todos asiento, siendo de notar que algunos tenían mandil y banda, y otros no. Hubo no pocos pasos de baile francés, tocamientos y signos que no describiremos por ser demasiado conocidos (165).

Lo mismo sucede cuando describe el ritual de apertura de los trabajos:

– El Venerable, usando las fórmulas rituales, mandó al primer vigilante que "se asegurase si el templo estaba a cubierto", y el primer vigilante, después de hacer la pantomima de salir y volver a entrar, declaró que no *llovía*, es decir, que el templo estaba libre de entrometidos, y que podían empezar los trabajos. Un martillazo presidencial abrió éstos en el grado convenido.

—El *maestro de ceremonias*, que era uno de los oficiales dignatarios, recorrió los asientos presentando el *saco* de las proposiciones. Algunos masones depositaron un papelillo como los que se usan en las rifas domésticas (166).

Tenida de Maestros Sublimes Perfectos

A continuación de la *tenida* ordinaria, Galdós pasa a describir la que él llama tenida de Valientes y Soberanos Príncipes, o de Maestros Sublimes Perfectos, es decir la que se realizaba en uno de los grados superiores. Pero para que quede constancia del matiz que la envolvía desde el primer momento, la idenfica con la política:

—Esta noche hay *tenida* de *Maestros Sublimes Perfectos*... Parece que en Palacio anda la cosa mal y que las Cortes nuevas no serán muy sumisas... (167).

***

—Duró la reunión de los padres graves bastante tiempo, porque además de que en ella trataron diversos asuntos de política elevada, hubo admisión de un hermano que había recibido *aumento de salario*, es decir, ascenso en la escala masónica (168).

El juicio que Galdós nos da de los grados superiores no varía dentro de su crítica irónica, del expresado al tratar de los apéndices:

—La ceremonia de recepción en los grados superiores no era más seria que en el grado de aprendiz, y se hablaba mucho de la *Acacia*, de la *Sala de en medio*, de la *Luz opaca* y otras lindezas. Para explicarlas sería preciso entrar con brío en la leyenda del Arte Real; pero como ésta y cuanto a ella se refiere es fastidioso en grado sumo, nos limitamos a recomendar al lector se abstenga de perder el tiempo averiguando el significado de los millares de emblemas diversos usados por las doscientas o trescientas disidencias o cisma del primitivo francmasonismo, entre los cuales el rito *escocés y aceptado*, que parece predominante en nuestros tiempos, tiene por liturgia un enredado berenjenal de alegorías, entre místicas y filosóficas, donde fracasa la más segura y sólida cabeza (169).

Como se ve no pierde ocasión de hacer alusión a las múltiples disidencias o cismas masónicos, y al enredado "berengenal de alegorías". También es claro el papel que ocupaba la política en estas reuniones "sublimes" –según la versión Galdós–, pues entre otras cosas tratadas figuraba el castigo de Vinuesa y sus cómplices, la disolución del cuerpo de Guardias, los insultos al Rey, las nuevas Cortes, la sociedad de los comuneros, las partidas de guerrilleros, etc. A lo que Galdós añadirá:

–Por supuesto, no habrán resuelto nada. Los *Maestros Sublimes Perfectos* se parecen al Gobierno como una calabaza a otra. Aquí como allí se procede de la misma manera. Habrán decidido que no conviene absolver a Vinuesa, ni tampoco condenarlo; que no conviene castigar a los insultadores del Rey, ni tampoco alentarles; que el cuerpo de Guardias está bien disuelto, pero que se debe crear otro; que la mejor manera de acallar el ruido que hacen los comuneros es alborotar mucho aquí; que las nuevas Cortes no son buenas, pero tampoco malas, y que la política debe ser exaltada para contentar al populacho, y al mismo tiempo despótica para contentar a la Corte.

– Atacas el justo medio, que es el arte político por excelencia, bribón –dijo Campos, riendo–. ¿Tú qué entiendes de eso? Sin este tira y afloja; sin esa gracia de Dios que consiste en no hacer las cosas por temor de hacerlas a disgusto de Juan o de Pedro, no hay Gobierno posible.

–En una palabra, los *sublimes* no han decidido nada. Ya dijo Voltaire hace muchos años: "La masonería no ha hecho nunca nada, ni lo hará". Tenía razón.

– Protesto –gritó Canencia...– El buen Aroüet no ha dicho semejante cosa. No calumniemos al gran filósofo, señores (170).

Los comuneros: cisma masónico

La Comunería nos la presenta Galdós como una sociedad desgajada de la Masonería; más liberal que ella, y que precisamente había nacido con una finalidad esencialmente política, y con un profundo odio frente a la masonería y su forma de actuar:

– Yo me marché de la masonería –dijo Regato (171) con firmeza–; yo fomenté el cisma, yo contribuí a fundar la Sociedad de los Hijos de Padilla, porque la masonería vino a ser rápidamente una sociedad ñoña y que no sirve para nada, como dijo Voltaire.

***

–Señores, esto es una farsa, esto no conduce más que a un servilismo no menos infame que el servilismo del año 14. Aquí se hacen los decretos a gusto de dos o tres maestros del grado sublime; aquí se eligen los diputados; aquí no hay otra cosa que los manejos de cuatro fatuos que mandan y a su gusto disponen de todo. No los quiero citar, porque no hay para qué. Pero ellos quieren establecer el Gobierno perpetuo de los tibios, y adjudicarse todos los destinos.

Esto no puede ser, y no será. Hemos fundado la comunería para establecer la verdadera libertad, sin boberías de orden y servilismo encubierto; para darle al pueblo su total soberanía, y que se hagan todas las cosas como al santo pueblo le dé la gana; para desenmascarar a tanto pillo farsante, y hacer que obtengan destinos los verdaderos hombres de bien, adictos al sistema. Basta de papeles y comedias bufonas. Nosotros vamos a la verdad, a la realidad. Odio eterno, señores, entre unos y otros; queremos separación eterna, irreconciliable, de los que desterraron a nuestro querido héroe, de los que contemporizan con la Corte y la Santa Alianza, de los que disuelven el ejército libertador, de los que persiguen a las sociedades patrióticas de *La Fontana* y *La Cruz de Malta*, de los que ponen dificultades a la organización de la Milicia Nacional; separación eterna de los que en una mano tienen el libro de la Constitución y en otra el cetro de hierro del *Rey neto*. Este es el Orden de Padilla; ésta es la Confederación de Padilla, que hará en España la revolución verdadera, que establecerá el sistema constitucional en toda su pureza y pondrá fin al reinado de los pillos e hipócritas. El Orden de Padilla derribará al infame Ministerio de las páginas *y de los hilos* antes de ocho días, señores; ... (172).

Simbolismo nacional

Nuevamente la crítica contra la masonería convertida en una "sociedad ñoña", en "una farsa", y en un "juego político de tibios" y "comedias bufonas", destaca frente al programa de actuación de los comuneros. Precisamente pensaban éstos que los ritos masones eran anti-españoles y por eso establecerán un simbolismo caballeresco y nacional:

–En virtud de este criterio, yo y todos los verdaderos patriotas hemos dado de lado a la masonería para fundar la grande y altísima, por mil títulos eminente y siempre española sociedad de *Los Comuneros* (173).

La constitución de la Confederación comunera o de los caballeros de Padilla es igualmente recogida por Galdós a través de un rápido diálogo:

—¡Confederación! ¡Padilla! ¿Qué ensalada es ésa?

—En el primer artículo de los Estatutos se dice que nos *reunimos* y nos *esparcimos* por el territorio de las Españas, con el propósito de *imitar las virtudes de los héroes que, como Padilla y Lanuza, perdieron sus vidas por las libertades patrias* (174).

—¿Y la Confederación se divide en talleres?

—¿Qué talleres? Eso es cosa de artesanos. Aquí todos somos caballeros. Llámase nuestro jefe el *Gran Castellano*; la Confederación se divide en *Comunidades*, éstas en *Merindades*, éstas en *Torres*, y las *Torres* en *Casas Fuertes*. Todo es caballeresco, romancesco, altisonante. Si la masonería tiene por objeto auxiliarse mutuamente en las pequeñeces de la vida, nosotros nos *reunimos* y nos *esparcimos*, así mismo se dice... para *sostener a toda costa los derechos y libertades del pueblo español, según están consignados en la Constitución política, reconociendo por base inalterable su artículo tercero*. Nada de empeñitos; nada de lloriqueo de destinos, ni de asidero de faldones. El artículo diecisiete del capítulo segundo dice que ningún caballero *interesará el favor de la Confederación para pretender empleos del Gobierno*. ¿Qué tal? Esto se llama catonismo. ¡Hombres incorruptibles! ¡Pléyade ilustre! Tenemos Código Penal, alcaides, tesoreros, secretarios. Nuestras logias se llaman *Fortalezas*, a las cuales se entra por puente levadizo nada menos (175).

El cuadro será completado más adelante, cuando Galdós nos recuerde que:

—Los comuneros querían reformar la Constitución, porque no era bastante liberal todavía. Los ministeriales (nos referimos a la primera mitad de 1821) o doceañistas, o si se quiere los *masones*, convencidos de que su Constitución era la mejor de las obras posibles, y que la mente no concebía nada más perfecto, querían que se conservase intacta y sin corrección ni reforma como la naturaleza...

—Los comuneros, que nacieron del odio a los masones, como los hongos nacen del estiércol, creyendo que los ritos y prácticas de la masonería eran una antigualla desabrida, antiespañola, prosaica y árida, imaginaron que les convenía establecer un simbolismo caballeresco y nacional, propio para exaltar la imaginación del pueblo y aun de las mujeres, que por entonces tenían parte muy principal en estos líos. Siendo la representación primaria de los masones un templo en fábrica y los hermanos, arquitectos o albañiles, formaron los comuneros su partido de Comunidades, divididas en Merindades, Torres y Casas Fuertes, y a sus logias llamaron *Castillos* y a sus Venerables *Castellanos, Alcaides* a sus Vigilantes, y así sucesivamente. En los ritos y ceremonias modificaron todo lo que hay de teatral en la masonería, dándole forma caballeresca, e ideando ilusorias fortalezas, puentes levadizos, barbacanas, recintos, salas de armas, cuerpos de guardias, almacenes de enseres y demás mojigangas, todo creado por sus exaltadas fantasías; de tal modo, que más que militares caballeros parecían rematados locos.

—Su color distintivo era el morado, así como los masones adoptaron el verde. La Asamblea general recibía el nombre de *Alcázar de la Libertad*, y el recinto donde se reunía, llamado *Plaza de Armas*, estaba adornado con embadurnados lienzos y telones, representando torreoncillos con banderolas, lanzas y las indispensables inscripciones patrioteras. El Presidente llamaba a los socios la *guarnición*, y a los neófitos, *reclutas*. Abríanse y cerrábanse las sesiones con fórmulas que harían reir a la misma seriedad, siendo de notar principalmente el parrafillo con que se despedían después de discutir largamente sobre mil innobles temas sugeridos por el egoismo, el hambre o la envidia: "Retirémonos, compañeros, a dar descanso a nuestro espíritu y a nuestros cuerpos, para restablecer las fuerzas y volver con nuevo vigor a la defensa de las libertades patrias" (176).

Ni siquiera en esta ocasión deja Galdós de hacer constantes referencias a la masonería de la que empieza diciendo que "tiene por objeto auxiliarse en las pequeñeces de la vida", para concluir aludiendo una vez más a la teatralidad de sus ritos y ceremonias.

Finalidad política

Pasando por alto la "iniciación comunera" (177) de la que Galdós se ríe en igual medida que cuando se ocupó de la iniciación masónica, encontramos algunos rasgos rápidos con los que intenta dibujar el entorno comunero. Así, respecto a la posible derivación política de ayuda mutua, de concesión de destinos, como ocurría en la masonería, Galdós –en boca de Regato, uno de los fundadores de la comunería– será tajante:

–La comunería es pobre; no da destinos (178).

Con relación al ideal comunero nos dirá que era el establecimiento de la República:

–Yo propongo a nuestra Asamblea que cesen las contemplaciones con la Corte y que se dé el grito ¡Viva la República!...

***

–¿Os aterra la palabra *república*? Pues yo digo que a mí no me ha causado nunca terror esa palabra, ni me aterra hoy. Perdamos el miedo y seremos fuertes. Amenacemos y nos temerán. Somos los más, somos lo más granado de la España liberal. La Europa nos contempla, el Piamonte nos imita, Nápoles nos copia, Portugal se llama nuestro *discípulo*. Señores, seamos dignos de la Europa liberal, y ante nosotros temblarán el Trono y los masones"...

***

–No creáis que la idea republicana es nueva en España. Padilla y Lanuza, nuestros maestros, fueron republicanos. Viniendo a los tiempos modernos, en la proclamación de los derechos del hombre hecha por Muñoz Torrero (179) en las Cortes del año 10 veo yo también la idea republicana... (180).

Los anilleros

Frente al partido de los masones y de los comuneros, de repente –dirá Galdós– apareció un tercer partido, llamado de los anilleros, "que quiso modificar la Constitución en sentido restrictivo, aspirando a una especie de transacción con la Corte y la Santa Alianza" (181).

De hecho apenas se ocupa Galdós del partido *anillero* o de los *amigos de la Constitución*, si no es para decir que dicha Sociedad de los Amigos de la Constitución respondía "a la necesidad imperiosa de establecer un término medio entre las antiguas leyes, que viven encarnadas en el país, y los principios liberales" (182).

El mencionar a los anilleros no es, pues, para Galdós, sino el motivo para establecer las diferencias existentes entre masones, comuneros y anilleros, que se reducían fundamentalmente a la postura adoptada por cada uno de los grupos ante la Constitución. Los comuneros querían reformarla porque no era bastante liberal, los masones (ministeriales y doceañistas) querían que se conservase intacta, y los anilleros querían modificarla en sentido restrictivo aspirando a una especie de transación con la corte y la Santa Alianza.

Personajes históricos

Al margen de los diferentes matices de unas sociedades u otras, Galdós deja claro que "las sociedades secretas... hacen y deshacen todo" (183). Y al hablar de sociedades secretas no incluye en ellas a las clientelas que frecuentaban los cafés patrióticos: La Fontana, Malta, etc. de los que apenas se ocupa en un par de ocasiones (184), si bien es cierto que para esas fechas había ya dedicado a ellos –diciembre 1870– precisamente su primera novela: *La Fontana de Oro*, que ya entonces fue juzgada, por su naturalidad, precisión y, claridad de estilo, como una novela perfecta.

Sin embargo Galdós no desperdicia la ocasión de sacar a relucir en *El Grande Oriente* algunos nombres como Romero Alpuente, Alcalá Galiano, Argüelles, Calatrava, Feliú, Regato, Vinuesa, Riego, Cano, Toreno, Quintana, Valdés, San Miguel, Flores Estrada... (185), que no siempre son definidos con excesivo cariño cuando son juzgados por sus contrincantes ideológicos, como es el caso de la estima que a los comuneros merecían, por ejemplo, Calatrava, descrito como "un bajo adulador"; Feliú, "un traidorzuelo"; Martínez de la Rosa, "un mandria"; Cano Manuel, "un bobo"; Toreno, "un pedante"; Argüelles, "un embustero"... (186).

Durante el Trienio Constitucional (1820-23) –nos dirá Galdós ya casi al final de *El Grande Oriente*– "había, según los datos más verosímiles, cincuenta y dos diputados masones. De los ministros, la mitad por lo menos cargaban el mandil. Pocos eran entonces los hombres notables por su talento oratorio o por su pluma, que no doblasen la cerviz ante el misterio eleusíaco, y muchos que después han figurado en los partidos reaccionarios, adoraron la Acacia. Tal fue el atractivo del Orden masónico, que aún se dice trataron con él clérigos no apóstatas y un general de franciscos que después fue arzobispo. Para que nada faltase, los del Arte Real vieron en las logias a un Infante, que recibió el nombre de *Dracón*, con la risible particularidad de que le llamaban *Bracón*. Un general muy célebre era designado *Bruto II*. Puede dudarse que el mismo Fernando VII *recibiese salario* masónico; pero no que los nombres más ilustres y respetables del presente siglo, los nombres de Argüelles, Calatrava, Quintana, San Miguel, Flores Estrada, Galiano y otros figuraron en las listas de maestros, siendo probable que todos ellos fueran *Sublimes Perfectos*" (187).

Aquí nuevamente Galdós vuelve a estar influido por Alcalá Galiano quien es el que adelanta estos nombres, alguno de los cuales lo desmintió ya en su tiempo de modo enérgico, como ocurrió con el general de los franciscanos, Fray Cirilo de Alameda (188), desmentido que recoge el propio Galdós en nota, como dándonos a entender la fuente en la que se había inspirado para su novela. Este hecho, indirectamente, nos puede cuestionar la validez documental historiográfica de la versión galdosiana de la época, fuertemente marcada por la obra de Alcalá Galiano, que al fin de cuentas tomó una parte política bastante activa en los sucesos que reconstruye Galdós. De ahí que la versión de los mismos tal vez necesite de un estricto análisis crítico y matización valorativa, que nos dé la justa medida de las *Memorias* de Alcalá Galiano, género que normalmente suele tener una finalidad de autojustificación, no siempre fiel a lo acaecido.

IV. CARACTERISTICAS DEL TERCER GRUPO

Con *El Grande Oriente* se cierra, por así decir el gran cuadro, medio costumbrista, medio histórico, en el que Galdós quiso describir con su minuciosidad y maestría características la acción política de las sociedades secretas españolas del trienio constitucional, y en especial de la masonería, de la que hace un retrato no excesivamente favorable.

A partir de este momento y en el resto de los episodios que componen la segunda serie, el hecho masónico pasa a un plano más secundario, si bien sigue estando presente todavía tanto en *Los cien mil Hijos de San Luis*, como en *Un voluntario realista*, en *Los Apostólicos*, y finalmente en *Un faccioso más y algunos frailes menos.*

De nuevo la conspiración

Por lo que respecta a *Los cien mil Hijos de San Luis*, cuya acción lógicamente se sitúa en 1823-24, las alusiones a la masonería giran más o menos sobre los mismos motivos, como, por ejemplo, la conspiración contra el rey absolutista.

Refiriéndose a Bayona, que es considerada como "verdadera antesala de nuestras revoluciones", dirá que, sin embargo, nunca había visto "degradación y torpeza semejante a las del tiempo de Eguía (189), que merecieron en aquel entonces el siguiente comentario: "Felicite usted a los francmasones, porque mientras la salvación de Su Majestad siga confiada a las manos que por aquí tocan el pandero, ellos están de enhorabuena" (190).

Más adelante dirá que los francmasones habían seducido a la plebe, y que Su Majestad, por dondequiera que iba, no oía más que denuestos (191). Y precisamente a raíz de los sucesos del 19 de febrero, cuando "se alborotaron los comuneros y masones porque estos querían sustituir a aquellos en el Ministerio" (192), recoge un diálogo popular en el que resulta sintomática esta frase:

–Me parece que usted con sus viajes a Francia y sus relaciones con los ministros del liberal y filósofo Luis XVIII, se nos está volviendo francmasona –dijo don Tadeo (193) entre broma y veras–.

***

–Amiguita, usted se nos ha "francmasoneado" –me dijo el astuto intrigante dando cariñosa palmada en mi mano (194).

Esta escena que nos indica un poco la proyección popular de la masonería y sus síntomas, tiene su continuación unas páginas después:

–Saliendo de misa de San Isidro, me ví insultada y seguida por una turba de mujerzuelas feroces sólo porque llevaba un lazo verde. El color verde era ya el color de la ignominia, como emblema del liberalismo, que tantas veces había escrito sobre él "Constitución o muerte". Vi maltratar a un joven de buen porte sólo porque usaba bigote, y desde aquel día el tal adorno de las varoniles caras fue señal de francmasonismo y de extranjería filosófica (195).

Esta escena nos recuerda lo que Patricio de la Escosura (196) relata por esa misma época cuando dice que una turba de realistas asaltó a Ventura de la Vega en la Puerta del Sol "por dejarse crecer el pelo y llevar melenas, crimen reputado a la sazón como infalible síntoma de masonismo" (197); escena a la que aludirá también Galdós en *Los Apostólicos*, cuando hablando de Veguita refiere que "le llevaban preso por tener la audacia de dejarse las melenas largas, al uso masónico" (198).

La intervención extranjera en defensa del rey español hace que salte a la escena galdosiana una nueva sociedad secreta: los *carbonarios*, si bien apenas se ocupa de ella, si no es para decir que "los carbonarios extranjeros, que andaban por España, unidos a otros perdidos de nuestro país, habían formado una legión con objeto de hacer frente a las tropas francesas. Constaba aquella de 200 hombres, tristes desechos de la ley demagógica de Italia, de Francia y de España... Pasma la inocente credulidad de los carbonarios extranjeros y de los masones españoles" (199).

Y un poco más adelante añadirá "que los masones primitivos o *descalzos* estaban en gran pugna con los secundarios o *calzados* y ambos con los carbonarios y comuneros" (200).

Tanto aquí como en otras varias alusiones a la comunidad masónica (201), o a la Orden de la Acacia, en la que incluye a Mina (202), los masones se presentan no sólo divididos sino sin fuerza, ni influjo para contener la agresión extranjera y evitar la huída del Gobierno a Andalucía, lo que será aprovechado por Galdós para incidir en la visión que de los masones tenían los personajes que encarnan la clase popular:

—¡Qué se escapan!... Los patriotas, los más malos de todos, los ateos, blasfemos, los republicanos, los masones, los regicidas, los enemigos del Rey..., los que querían matarle (203).

Liberales y absolutistas

A partir de este episodio la trama de los tres restantes se encuadra en la lucha entre realistas y liberales; lucha que afecta tanto a los partidarios de Fernando VII, como a los de su hermano D. Carlos (204). Y aquí resulta curioso cómo entre los personajes galdosianos, tanto los populares, como los absolutistas –en su doble vertiente– se establece una especie de igualdad o denominador común que abarca a liberales, jacobinos y masones, como si fueran términos sinónimos. Igualmente hay una cierta identificación de la masonería –dueña del Trono, del Gobierno y del Ejército– con la herejía, la democracia, la revolución e incluso con el comunismo.

Algunos ejemplos pueden servir de ilustración:

–¿Acaso podrán levantarse otra vez los liberales? No se levantarán. Pero los masones tienen minado el Trono.

–¡El Trono! –exclamó Pepet (205) lleno de confusión. Es el más seguro del mundo.

–Tal vez no.

–¿No tenemos Gobierno absoluto?

–A medias: Gobierno con puntas de masónico, que no se decide a poner la Religión por encima de todo...

***

–No gobiernan los liberales, es verdad; pero ello es que, sin saber cómo gobierna su espíritu, y las sectas, las infames sectas masónicas, no han sido destruidas. El Ejército que se compone absolutamente de masones, no ha sido disuelto y desbaratado, y en cambio están sin organizar los voluntarios realistas.

***

–Andan sueltos muchos, muchísimos que fueron milicianos nacionales y asesinos de frailes y monjas, y la masonería se extiende hasta el mismo Trono, hasta el mismo Trono... (206).

***

–Desde la guerra de la Independencia el Ejército, lo mismo que la Marina están carcomidos por la masonería. La revolución del 23 obra fue de los masones militares; las intentonas de estos años también son cosa suya, y en estos momentos, señores, se está formando una sociedad, llamada la Confederación Isabelina, en la que andan muchos pajarracos de alto vuelo y que por el rotulillo ya da a entender adónde va (207).

***

–Veo que mira usted mis charreteras... ¡Ah!, desde hoy las considero como una deshonra... No puedo servir a dos señores... Fuera de mí, insignias de vilipendio, que me parecéis emblemas de un orden masónico (208).

***

–De los jefes militares importantes trataba a algunos, y con varios de ellos tenía conocimiento que rayaba en la amistad, por antiguo compañerismo en el Grande Oriente masónico del 22 (209).

La obsesión masónica dentro de esa lucha o enfrentamiento que llevó el absolutismo contra toda ideología que le fuera contraria vuelve a quedar plasmada tanto en *Un voluntario realista*, como en *Los Apostólicos*:

–Dígame usted: ¿no está la Corte minada por los masones? ¿Es cierto, como nos ha dicho, que si los masones triunfan, destruirán todo, y no dejarán en pie nada de lo que hoy existe?

–Los masones no triunfarán (210).

***

–Don Tadeo (211) pierde cada día su fuerza, y el Rey se está haciendo todo mantecas, a medida que la gente de orden y el respetabilísimo clero ponen los ojos en el Infante, única esperanza de esta nación francmasonizada y hecha trizas por el ateismo (212).

***

–Es lo que yo digo: divídase el partido del orden, y tendremos a los masones tirándonos de la naríz... (213).

***

–No es extraño, Jenarita (214), que con la marcha que lleva este Gobierno por el camino de la francmasonería, sean perseguidos los buenos españoles. Ese pobre Rey se ha entregado en manos de la herejía y del democratismo (215).

***

–Le expuse la situación del país, anhelante de verse gobernado por un Príncipe real y verdaderamente absoluto, que no transija con masones, que no admita privilegios revolucionarios, que cierre la puerta a las novedades (216).

Precisamente una de las peroratas que pone Galdós en boca de uno de los realistas, alude a esta situación de enfrentamiento:

—Nos dijeron que se iba a emprender una guerra grande, gloriosa... ¡pum!, una guerra por la Religión. Nos dijeron que el Rey, ¡pum!, estaba entregado a los masones, y que la Cámara Real era una logia, una zahurda de jacobinos... ¡pum!, que Calomarde era masón, que el Rey era masón, ¡pum!...

—Nos dijeron que en Madrid estaba todo hecho para quitar del Trono a un hermano que estaba vendido a los masones, y poner ¡pum! a otro hermano que oye misa todos los días...

—Linda cosa es el perdón masónico (217).

***

— ¡Viva la Religión y mueran los masones! (218).

Para los masones, una vez más identificados con los jacobinos y con los enemigos de la Religión, no hay perdón:

—A los apostólicos que se sometieran, les perdonaría; eran alucinados y no criminales; a los jacobinos y masones les aplastaría sin piedad (219).

Quizá uno de los pasajes más desconcertantes de Galdós, es aquel en el que habla de comunismo:

—Vino a España enviado por los de Londres para tejer una de tantas conspiraciones. Es pájaro de cuenta: le conozco hace tiempo. Es uno de los que figuraron cuando Las Cabezas...; después anduvo en masonerías y comunismo (220).

Aquí da la impresión de que Galdós no puede evitar una dudosa transposición histórica. Pues hablar de comunismo en 1878 que es cuando escribió este episodio es normal, pero hablar de comunismo en la España de 1824 o 25, es algo que ya extraña más.

En el contexto de enfrentamiento entre cristinos y carlinos la masonería sigue siendo igualmente protagonista indirecta, y con las mismas características de los episodios anteriores. Algunos fragmentos pueden servir de ejemplo:

–Las campanas allí [Navarra, Alava, Vizcaya], cuando tocan a misa, dicen: "No más masones"... (221).

***

–Pronto, muy pronto, cuando llegue el momento de dirimir en los campos de batalla la cuestión entablada entre el Altísimo y los masones, podrá contar el Altísimo con su más valiente Macabeo (222).

***

–Puedes decir a esos señores que sí, que estoy conspirando ¡rábanos!, que hago lo que me da la gana, que trabajo como un negro por la causa del Rey legítimo, y que yo y mis amigos nos reunimos y nos concertamos despreciando a este Gobierno estúpido, cuya Policía hemos comprado. Al Ejército engañamos, y a vosotros los masones de bulla y gallardete os compramos a razón de dos pesetas por barba (223).

***

–Ya no eran el pueblo descontento ni el ejército minado por la masonería quienes atormentaban al tirano: eran el clero y los voluntarios realistas, capitaneados por un hermano querido (224).

***

—¿Y confía usted sacar partido de su amistad con ese desollado masón?... Pero ¡qué amigos tiene usted!... Estoy asustado (225).

***

—También se han reunido esta tarde muchos locos masones con Avinareta (226) a la cabeza y han deliberado... ¡Deliberado a los postres! ¿Cuando se ha visto eso?... Señores, llegó el momento de la gran barrida. España ha resucitado (227).

***

—De las ruinas del masonismo se levanta el legítimo Trono de España (228).

***

—Los ratones me tienen minado el techo. Ya os arreglaré, masoncillos... Pero ¿no tienen Inquisición en casa? El gato saltó de un rincón, bufando y subió por los maderos (229).

***

—¡Indultarme!... No; por muy masón que sea el Virrey, no será tan cruel e inhumano (230).

***

—Tú eres un intrigante forrado en masón (231).

***

—Ya, ya vendrán tiempos de justicia, sí, ya vendrán... Entonces no veremos los coros de las catedrales llenos de masones con sotana, mientras los buenos eclesiásticos perecen (232).

***

—Fulminando ira de sus ojos, Gracián (233) gritó: "¡Canallas!... ¡Masones!" (234).

Otras masonerías

Galdós dedica también breve atención en *Un voluntario realista* a otro tipo de masonería no liberal, sino absolutista, llamada *El Angel Exterminador*, cuya existencia histórica pone en duda:

—Durante largo tiempo se consideró que la guerra apostólica había sido engendrada por la sociedad secreta del absolutismo llamada *El Angel Exterminador*, y compuesta de obispos ambiciosos, consejeros cesantes e inquisidores sin trabajo. Aunque el absolutismo ha tenido también su masonería y de las más chuscas, aun sin el uso de mandiles, ningún historiador ha probado la existencia del *Angel Exterminador* (235).

Existiera o no *El Angel Exterminador*, lo que sí es cierto que Galdós refleja bien esa especie de psicósis de la época en la que se veían masones —del signo que fueran— por todas partes.

En *Los Apostólicos* será precisamente la reina María Cristina (236) la que aparecerá también vinculada —por afinidades liberales— con la masonería:

—Pásmese usted..., es una francmasona, una insurgente, mejor dicho, una real dama en quien los principios liberales y filosóficos se unen a los sentimientos más humanitarios. Es decir, que tendremos una Reina domesticadora de las fuerzas que se usan por acá.

***

—Pues ¡viva la Reina fracmasona! El desfrancmasonizador que la desfrancmasonice, buen desfrancmasonizador será (237).

Precisamente en este mismo episodio entre las muchas sociedades más o menos secretas que amenazaron el poder de Calomarde —nos dirá Galdós— "hubo una que no precisamente por lo temible, sino por otras razones, merece las simpatías de la posteridad. Llamóse de los *Numantinos*" (238).

Y más adelante añadirá como explicación de la misma:

—Los mayores de la cuadrilla no pasaban de 20 abriles; estos eran los ancianos, *expertos o maestros sublimes perfectos*; que a decir verdad la pandilla gustaba de darse aires masónicos, sin lo cual todo habría sido muy soso y descolorido.

—... les enviaron al convento de franciscanos de Guadalajara... y les quitaron de la cabeza todo aquel fárrago masónico numantino y el derribo de tiranías para edificar repúblicas griegas (239).

Y por si no hubiera suficientes sociedades secretas, todavía, en *Un faccioso más y algunos frailes menos*, nos hablará de la llamada Isabelina:

—Para poner remedio al grave mal que antes indiqué, he determinado fundar una sociedad secreta...

—Ya pareció aquello —dijo Salvador, interrumpiendo

con su sonrisa el grave exordio de su amigo–. En eso habíamos de parar.

–Cállate, no juzgues lo que no conoces todavía... Una sociedad secreta que se llamará la Isabelina o de los Isabelinos...

***

–Ya tenemos el masonismo en planta –indicó Salvador (240)– con sus irrisorios misterios, sus fórmulas y necedades.

–No, no hijo; aquí no hay misterios.

–¿Ni iniciación, ni torres, ni orientes?

–Nada de eso.

–¿Ni vocabulario especial, ni mandiles?

–Nada, nada.

–No habrá más que el juramento de someterse intencionadamente a la soberanía de la nación.

–Aquí es todo corriente. No hay misterios. La sociedad trabajará en silencio, pero sin fórmulas diabólicas. Y nos llamamos por nuestros nombres, si bien en las actas y documntos adoptamos un signo convencional para designarnos (241).

Tras esta nueva crítica de los "irrisorios" misterios y demás "necedades" masónicas, a renglón seguido nos dará una nueva versión de la masonería, esta vez convertida no en proyectos serios de personas maduras, sino en juego de chiquillos:

–¡Malditos! –exclamó Avinareta, en ocasión que subían tres o cuatro mozalbetes metiendo más ruido que los monaguillos en día de repicar recio. Esos son los que todo lo echan a perder con sus inocentadas. Ahora los tiernos angelitos, en vez de chuparse el dedo, han dado en la flor de jugar a la masonería y al carbonarismo, y entre burlas y risas tienen arriba sus *Cámaras de honor*, y sus *Hornos*, donde hacen mogigangas, que es preciso denunciar a la Policía. Son casi todo chiquillos con más gana de hacer bulla que de estudiar (242).

El resultado en todos los casos es el mismo, la crítica ridícula enfocada desde los ángulos más pintorescos, donde ya los calificativos se hacen reiterativos.

Y para concluir con el tema de la masonería en este tercer y último grupo de la segunda serie de los Episodios Nacionales, está la identificación que hace Galdós de la masonería, o de las "logias mogigatas" –por qué no se han de llamar así?, se pregunta el propio Galdós (243)–, nada menos que con Satanás, como fruto de la creencia popular de que se había entablado una auténtica batalla entre el Altísimo y los masones (244). El diálogo de que se sirve Galdós es una obra maestra de fina ironía:

–¿Pues qué? ¿Es usted...?

–Masón, señora.

–Al expresarse así, con la sonrisa en los labios, Salvador creyó que no merecía respuesta seria aquel interrogatorio impertinente. La momia estuvo a punto de deshacerse en polvo al oir la nefanda palabra. Estremecida dentro de sus apolilladas pieles y de sus ajados tafetanes, llevóse las manos a la cabeza, lanzó una exclamación de lástima y desconsuelo, y por breve rato no apartó del cielo sus ojos, fijos allá, en demanda de misericordia.

– ¡Masón! –repitió luego mirando al que, según ella, era un soldado de las milicias de Satanás. –Quién lo diría!

–Y señalando con su mano flaca, cubierta de guante canelo, una luz que a cierta distancia se veía, como farolillo de taberna o café, dijo entre suspiros:

—En donde está aquella luz se reunen sus amigotes de usted... Caballero, si me permite Ud. que le dirija un ruego, le diré que por nada del mundo sea usted masón. Todo está preparado para el triunfo de la Monarquía verdadera y legítima, y es una lástima que Ud. perezca, porque perecerán todos, no hay duda... Cuando Vd. me dijo que era masón, ví..., yo siempre estoy viendo cosas extrañas que luego resultan verdaderas..., ví un montón de muertos, en medio de los cuales asomaba una cabeza... (245).

Ya antes había aludido igualmente al mismo tema de una forma rápida pero expresiva, en *Un Voluntario realista*:

—Contra la masonería que es el gobierno de Satanás, se levantará la Religión que es el Gobierno de Dios (246).

LA TERCERA SERIE DE LOS EPISODIOS

I. FIN Y CONTINUACION DE LAS NOVELAS HISTORICAS

Despedida y vuelta de Galdós

El último episodio de la segunda serie, *Un faccioso más y algunos frailes menos*, termina con estas decisivas palabras de Galdós:

–Basta ya.

–Aquí concluye el narrador su tarea, seguro de haberla desempeñado muy imperfectamente; pero también de haberla terminado en tiempo oportuno (váyase lo uno por lo otro), y cuando el continuarla habría sido causa de que las imperfecciones y faltas de la obra llegaran a ser imperdonables. Los años que siguen al 34 están demasiado cerca, nos tocan, nos codean, se familiarizan con nosotros. Los hombres de ellos casi se confunden con nuestros hombres. Son años a quienes no se puede disecar, porque algo vive en ellos que duele y salta al ser tocado con escalpelo. Quédese, pues, aquí este largo trabajo, sobre cuya última página (a la cual suplico que me sirva de Evangelio) hago juramento de no abusar de la bondad del público, añadiendo más cuartillas a las 10.000 de que constan los *Episodios Nacionales*. Aquí concluyen definitivamente éstos. Si algún bienintencionado no lo cree así y quiere continuarlos, hechos históricos y curiosidades políticas y sociales en gran número tiene a su disposición. Pero los personajes novelescos, que han quedado vivos en esta dilatadísima jornada, los guardo, como legítima pertenencia mía, y los conservaré para casta de tipos contemporáneos, como verá el lector que no me abandone al abandonar yo para siempre y con entera resolución el llamado *género histórico* (247).

Era el mes de diciembre de 1879 cuando Galdós escribía en Santander estas concluyentes palabras. Sin embargo, a pesar de lo expresado y jurado, casi veinte años más tarde, el mes de abril de 1898, Benito Pérez Galdós, iniciaba una tercera serie de los Episodios con estas no menos expresivas palabras:

– Al terminar, con *Un faccioso más y algunos frailes menos*, la segunda serie de los *Episodios Nacionales*, hice juramento de no poner la mano por tercera vez en novelas históricas. ¡Cuán claramente veo ahora que esto de jurar es cosa mala, como todo lo que resolvemos menospreciando o desconociendo la acción del tiempo y las rectificaciones que este tirano suele imponer a nuestra voluntad y a nuestros juicios! A los diez y nueve años, no justos, de aquel juramento, los amigos que me favorecen, público, lectores o como quiera llamárseles, me mandan quebrantar el voto, y lo quebranto; me mandan escribir la tercera serie de Episodios, y la escribo. En reducida esfera, los escritores vivimos, como en esfera amplísima los políticos, gobernados por la opinión, y la opinión es responsable de esta inconsecuencia mía. Ella me ha hecho pecar, y ella me absolverá si cree que al fin de la jornada lo merezco. Los diez tomos de la tercera serie serán:

Zumalacárregui	La Estafeta romántica
Mendizábal	Vergara
De Oñate a la Granja	Montes de Oca
Luchana	Los Ayacuchos
La campaña del Maestrazgo	Bodas Reales (248).

Intentos de explicación

¿Dónde está la explicación de este cambio tan radical? Galdós al terminar su segunda serie decía que los años que seguían al 34 estaban demasiado cerca, que sus hombres casi se confundían con los actuales; que eran años que no se podían disecar, porque algo vivía en ellos que dolía y saltaba al ser tocado con escalpelo... Esta aproximación histórica, para más de uno, resulta una explicación aceptable por la dificultad que supone novelar hechos muy recientes, tanto más que algunos de los protagonistas de los sucesos posteriores al 34 todavía vivían, e incluso eran amigos o conocidos de Galdós.

Según esto nos podemos preguntar si son suficientes diez y nueve años para conseguir esa perspectiva histórica de la que Galdós habla. ¿Acaso en 1898 la situación político social española era ya tan distinta de la de 1879? Claro está que se trata precisamente de 1898, con todo lo que este año connota de replanteamiento ideológico desde un punto de vista, no sólo literario, sino económico, militar, político, etc.

Para Menéndez y Pelayo, quizá excesivamente preocupado de lo religioso y filosófico, la interrupción de Galdós sería debida a una crisis de la novela histórica y romántica, y al resurgimiento de la novela de tesis y tendencia social. Para un gran conocedor de Galdós, como es Sáinz de Robles, la explicación es muy sencilla: Al acabar Galdós la segunda serie la novela histórica había pasado de moda. Precisamente en 1879 había triunfado ya la novela de costumbres, con Pereda, con Valera, con Alarcón, e incluso con el propio Galdós: "El público, harto de romanticismo –dirá– pretendía únicamente la verdad, y Galdós el novelista más solicitado, tuvo miedo de que le ganaran la partida otros grandes narradores" (249).

Galdós, a pesar de que los Episodios seguían teniendo un gran éxito –quizás porque en ellos lo histórico iba arropado por lo novelesco y por el costumbrismo más realista– no habría querido, según esta interpretación, arriesgar ni su fama, ni su público incondicional, y decidió "abandonar para siempre y con entera resolución el llamado género histórico".

No obstante la explicación o justificación de Galdós para la vuelta a los Episodios, apunta precisamente a una presión de sus amigos incondicionales, a esa opinión pública a la que, en cierto sentido, se debe el escritor.

Pero, en el fondo, tal vez fueran otras razones más íntimas, quizás económicas, las que forzaron al cambio de actitud. Algunos autores, como Montesinos, apuntan directamente a las estrecheces económicas del autor como causa principal de que Galdós volviera al campo de la novela histórica (250).

En cualquiera de los casos lo que sí es cierto que Galdós en su tercera serie, así como en la cuarta y en la final inacabada, va guardando una prudencial distancia de los hechos que oscila como término medio entre los 30 y 40 años. Así, por ejemplo, *Zumalacárregui* y *Mendizábal* los escribe en 1898, *Amadeo I* en 1910, la 1ª República en 1911, Cánovas en 1912... (251).

Encuentro con la historia

Desde un punto de vista histórico las tres últimas series, puesto que estaban mucho más próximas a la actualidad, van a tener una supremacía de lo histórico sobre lo novelesco. Galdós, en plenitud de estilo, va a aprovechar al máximo cuantos recursos le suministraba la historia, haciendo un verdadero alarde de objetividad y conocimiento del mundo político-social en la reproducción de ambientes, personas y hechos.

Para Eduardo Gómez de Baquero los Episodios son una especie de historia poética de los orígenes de la España contemporánea que abarcan los primeros setenta y cinco años del siglo XIX, y en la que nos ha sabido mostrar el interior de las almas, lo que sentían, pensaban y querían los españoles en los dos primeros tercios del XIX. Galdós –dirá– ha enseñado historia, principalmente historia interna, historia de las costumbres, que es el cimiento de la historia externa, pública y solemne (252).

En este sentido, al iniciarse la tercera serie, volvemos a hacernos la misma pregunta que al inicio: ¿Qué nos aporta Galdós como historiador –a través de su trama anovelada– para la reconstrucción de esa faceta pequeña, pero atrayente, de nuestra historia, como es la de la masonería española del XIX, sobre la que tanto se habla y supone, y de la que al fin de cuentas tan poco se sabe?

II. ZUMALACARREGUI

La tercera serie se inicia con el episodio que lleva por título *Zumalacárregui*, al que seguirán, como hemos visto más arriba, otros nueve más hasta completar la serie de los diez tomos. El protagonista de esta serie será Fernando Calpena que personaliza el elegante escepticismo español derivado de un romanticismo que se consideraba ya como algo caduco e incluso inútil (253).

El carlismo y la masonería

A pesar de que el tema carlista se prestaba, al igual que en episodios anteriores, a una mayor explotación del tema, no se puede decir que *Zumalacárregui* sea un episodio que se caracterice por la prolijidad de alusiones al tema masónico, pues en todo el episodio tan sólo en tres ocasiones encontramos la palabra "masón", y en las tres es equivalente de insulto, nefasta conjuración y traición.

En el primer caso al masón se le identifica con los impíos de Madrid que sólo buscan la intriga y la usurpación. La acción tiene lugar en Peralta, pueblo en el que las tropas carlistas combatían contra los pocos liberales que allí se encontraban; y el diálogo se desarrolla entre un cura carlista y una moza –Saloma– a cuyo amante Mediagorra (254) acababan de fusilar los seguidores de D. Carlos:

–¿Yo? ¿Por quien me tomas? Soy Capellán del Cuartel Real.

–Buen provecho. ¡"Mia" que rey ese!

–Es rey, el monarca legítimo, Saloma, y todo lo demás es intriga y usurpación de los impíos y masones de Madrid. Pero el infierno no puede triunfar, aunque Dios le permita ventajas pasajeras para probar a los buenos.

–¿Y los buenos son ésos, ésos, los de Don Zamarra? (255). Preguntó la baturra, picaresca, con toda malicia y desvergüenza del mundo en su bello rostro. ¿Lo cree usted padrico?

–Como ésta es noche. Creo en la legitimidad, creo en los derechos indiscutibles de Don Carlos, creo que los ejércitos Carlinos defienden al verdadero rey y al Dios verdadero.

–Y yo creo que es usted bobo. "Mia" que Dios... ¿Qué tiene que ver Dios con la guerra? ¿A Dios le puede gustar que haigan fusilado a Mediagorra?... (256).

Para el cura carlista, el masón, identificado con el impío, tiene, pues, un fin: intrigar contra el rey legígimo Don

Carlos, y usurparle el trono. Y tales acciones sólo pueden hacerlas unas personas más ligadas con el infierno, que simboliza la maldad, que con Dios, aunque "les permita ventajas pasajeras para probar a los buenos", es decir a los carlistas.

Es significativo el que tal frase la pronuncie un sacerdote de ideología carlista, aunque lógicamente no piense igual la buena de Saloma, personaje en el que Galdós, ha querido representar la mentalidad de la gente sencilla del bando contrario, que no admite se mezcle a Dios con la fuerza, ni con los que dicen defender al verdadero rey y al Dios verdadero, fusilando a los que no pensaban lo mismo:

—"Mia" que Dios... ¿Qué tiene que ver Dios con la guerra? ¿A Dios le puede gustar que me haigan fusilado a Mediagorra?... (257).

Los militares

Unos capítulos más adelante aparece de nuevo el término masón, esta vez en una conversación entre dos sacerdotes carlistas; el mismo de la escena anterior y un capellán real de Su Majestad, al que se supone en relación muy directa con el entorno del máximo representante del carlismo. El tema de la conversación son los militares, y como trasfondo la pasada conspiración de Torrijos (258). Aquí los masones son compañeros de viaje de los caballeros constitucionales y los corifeos del democratismo:

—¿Y al consejo áulico de su Majestad no asisten militares? La opinión de éstos me parece muy digna de tomarse en cuenta, y no es esto despreciar el criterio de los señores del orden civil.

—¿Militares, dice usted? Su Majestad tiene a su disposición a más de cuatro que se distinguieron en la guerra de la Independencia y en la campaña realista; hombres de conocimientos, de práctica en la manipulación de tropas, y señalados, además, por la firmeza y fervor de sus creencias religiosas. Sin ir más lejos, aquí está el señor González Moreno (259), de quien debemos esperar dias gloriosos para la causa; persona muy sensata, muy grave, de las que a mí me gustan... ¡Pocas palabras, ¿me entiende usted? una seguridad en el juicio, una entereza en el carácter...! Tenga usted por cierto que con ése no juegan los caballeros constitucionales y masónicos.

–Y ese señor González... ¿Quién es? Perdone usted mi ignorancia. ¿Con qué hazañas, o siquiera hechos de algún viso ha ilustrado su nombre?

–Por Dios, amigo Fago (260), ¿de qué dehesa sale usted? ¿Es de veras que no ha oido nombrar al señor González Moreno, el afamado Gobernador militar de Málaga, que en los últimos años de Don Fernando VII descubrió y aniquiló la conspiración de Torrijos y otros corifeos del democratismo, atrayéndolos de Gibraltar a Málaga y ...?

–Ya, ya sé... si he de hablar con franqueza, señor Don Fructuoso (261) de mi alma, esa página histórica no resulta muy gloriosa que digamos..., expreso lo que siento..., y bien mirado, ello es un acto político más que militar... (262).

Aquí enlaza Galdós con uno de los temas que vimos en las series anteriores: el de los militares y la masonería, si bien no desde el lado liberal, sino desde el carlista. Para uno y otro bando los militares eran una pieza clave para llevar a buen término la guerra, y precisamente por ser imprescindibles en ese momento había que contar con ellos en las reuniones privadas que Don Carlos mantenía con sus más influyentes seguidores.

Galdós ya ha anticipado en páginas anteriores que Zumalacárregui, en las altas esferas absolutistas comenzaba a perder la confianza que todos habían depositado en él. Si este caudillo era depuesto haría falta otro que lo sustituyese. Y Don Fructuoso, tiene puestos sus ojos en un tal González Moreno, gran héroe del reinado anterior; tan grande, que ni los masones ni los constitucionales podrían corromperle, como había demostrado en el caso de Torrijos y sus compañeros de aventura, a los que preparó una emboscada en las costas malagueñas donde fue apresado y fusilado con los 52 hombres que lo seguían.

El hecho de recordar la intentona de Torrijos, tradicionalmente considerado como masón, es posible que no sea del todo gratuita en esta escena de Galdós.

El clero

En la tercera y última cita referente a la masonería es el clero el que se ve involucrado con la masonería, como si esta sociedad secreta hubiera logrado ya inflíltrarse en el mismo bando carlista. La escena tiene como base una conversación entre el mismo cura carlista protagonista de los dos casos anteriores, y Don Fructuoso. Estan hablando de las idas y venidas de una mujer –causa de los desvelos de José Fago– que vestida de monja, hace el juego a los liberales por aquellas tierras eminentemente carlistas:

–Dígame, puesto que "la vio" en Zumárraga: ¿cómo iba vestida?

–De monja.

–¿Lo ve usted?... Y digan que los sueños son burlas de los sentidos ... Monja, sí señor; vestidita de monja, lo que no quiere decir que lo sea. El traje es un artificio o salvoconducto para la conspiración que se trae esa señora, correveidile de una taifa de capellanes masónicos y de carlistas vendidos a la nefasta Constitución. Y no va sóla...

–En efecto, no va sola.

–La ha visto usted en compañía de un hato de religiosas expulsadas de los Arcos, y que andan buscando un convento desmantelado donde meterse... (263).

El hablar de una "taifa de capellanes masónicos", con todo lo que de despectivo lleva el término taifa, equivalente a bandería o reunión de gentes de mala vida, es sintomático de la actitud de desprecio adoptada frente a los llamados liberales. Y el desprestigio afecta no sólo al grupo de "capellanes masónicos y carlistas vendidos a la nefasta Constitución", sino también a la que "vestida de monja" no tenía más remedio que ir acompañada de un "hato" –nuevamente un término despectivo– "de religiosas expulsadas de los Arcos y que andaban buscando un convento desmantelado donde meterse".

El pretender deducir de la frase anterior que Galdós quiere insinuar que el clero carlista estaba infestado de masones, tal vez resulte excesivo, ya que no parece tenga más intencionalidad que la propiamente ambiental.

III. MENDIZABAL

Este es uno de los episodios que quizás se prestaba más a referencias masónicas de algunos políticos del momento. Efectivamente, Galdós, a pesar de su discreción, nos apuntará unos cuantos nombres. En este sentido el tema aparece ya desde el comienzo, aunque en este caso sólo de una forma marginal, o si prefiere ambiental, dentro de la trama novelística:

– Anoche, amigo Nicomedes (264), debieron ustedes tratar de ir disolviendo juntitas para que no se enfade don

Juan de Dios Alvarez... (265). Mucho tuvieron que discutir anoche los del *rito escocés*, porque entró usted cerca de las cuatro... (265).

Masonería y política

Poco después hay una escena en la que se habla de Mendizábal, y que dará pretexto a Galdós para establecer un paralelismo entre la masonería de los años 20 y la del 1834:

–Persona de mi mayor confianza me ha contado a mí que Mendizábal, allá por el año 20, era en Cádiz un muchachón alborotado, bullanguero, de una intrepidez loca para las aventuras políticas. El y otros tales no hacían más que conspirar en logias y cuarteles para que volviese la Constitución del 12, y destronar al Rey o convertirlo en un monigote.

–Es verdad.

–Y que trabajó por la bandera que defendían Riego, Arco Agüero, Quiroga... (267).

–También es cierto. Todas aquellas trapisondas salían de la Masonería, que ahora es una vieja pintada, y entonces era una mocetona llena de vida y seducciones, con las cuales enloquecía a la juventud.

–No me disgusta la imagen, señor mío. Adelante (268).

La alusión a la masonería gaditana y a los tiempos jóvenes de Mendizábal conspirador, como tantos otros, de logias y cuarteles, en pro de la Constitución del 12 sirve para empalmar con el alzamiento de Riego, Arco Agüero, Quiroga y otros, atribuyendo la paternidad de la empresa a esa masonería que entonces "enloquecía a la juventud, cual mocetona llena de vida".

Y por si no hubiera quedado clara la imagen, Galdós

vuelve sobre la misma idea, poniendo de manifiesto no sólo el papel conspirador de la masonería, sus "talleres y capítulos", sino que añade otros nombres de masones a los ya citados de Mendizábal, Riego, Arco Agüero, Quiroga...; a saber: Alcalá Galiano (don Antonio) (269), fuente de donde toma no pocas de dichas informaciones, Istúriz, Bertran de Lis (270)..., si bien se permite aclarar que en aquellos tiempos *masón* era lo mismo que decir *político*:

—En Cádiz existía lo que llamaban el Soberano Capítulo y el Sublime Taller, y qué sé yo qué. De estos talleres y capítulos salían las conspiraciones para sublevar el Ejército y derrocar la tiranía; de allí las trifulcas, las asonadas, los ríos de sangre... Mendizábal era masón, que en aquel tiempo era lo mismo que decir *político*. Si quiere usted más noticias, pídaselas a don Antonio Alcalá Galiano, que anduvo con él en aquellos trotes; al señor Istúriz, a don Vicente Bertran de Lis... (271).

Sin embargo, aunque en el año 34 la masonería había dejado de ser "una mocetona llena de vida y seducción" para convertirse en "una vieja pintada", continuaba siendo una pieza política importante. Es cierto que ya no promovía conspiraciones para derrocar la tiranía; sin embargo seguía teniendo influencia política como lo deja entender Galdós en la continuación de la escena anterior:

—De donde se deduce, amigo Calpena (272) —dijo el clérigo, suspirando fuerte—, que el que pretenda en estos tiempos ser algo o conseguir alguna ventaja, aunque ésta le corresponda de justicia, y lo intente sin agarrarse previamente a los faldones o a las faldas de esa gran púa de la Masonería, es un simple o un loco.

—No diré yo tanto. Las cosas son como son.

—Tenga usted presente que hay logias liberales y logias absolutistas. Las primeras conspiran; las segundas, también. Unas y otras introducen individuos suyos en la contraria, fingiéndose amigos, para sorprender secretos.

—Sí, sí; y se pelean en las tinieblas de los ritos nefandos. De las unas salen los ejércitos sediciosos, que todo lo destruyen y profanan; de las otras los tribunales sanguinarios que levantan la horca. Así vive España..., hoy te fusilo, mañana te ahorco.

—Y vea usted. Si el 24 hubiera sufrido don Juan de Dios la suerte de su compinche Riego, hoy no tendríamos la dicha de que ese señor nos arreglara la Hacienda y nos hiciera juiciosos y ricos (273).

Además de la necesidad de la recomendación masónica para poder prosperar, hay una alusión a logias liberales y logias absolutistas que puede dar lugar a una doble interpretación, a saber: o bien a que la masonería había invadido la política, tanto entre los liberales como en los absolutistas; o bien a que el término masonería, como en los años 20, no era otra cosa que sinónimo de política, con lo que las referencias a logias absolutistas sería más metafórica que real.

En cualquier caso la conspiraión era patrimonio de ambos grupos ideológicos-políticos, de ahí que Galdós más adelante hable de "los sectarios del usurpador absolutista don Miguel (274), que es allí lo mismo que aquí nuestro don Carlos María Isidro" (275).

Esta terminología la aplicará también Galdós al otro bando:

—Esta visita de los compinches de Iglesias (276) tan a deshora significa que anoche hubo gran trapatiesta en la casa de Tepa (277), entiéndase logia, y en los cafés donde rebulle la patriotería (278).

El Infante masón

En el capítulo sexto en el que habla metafóricamente del *Sublime Taller*, con un sentido de reunión más o menos reservada, que en este caso se tenía en un local eclesiástico, se alude a Su Alteza el infante don Francisco (279), y a su nombre masónico Dracón:

—Y, además..., hay —apuntó Nicomedes— una tenebrosa y hasta hoy indescifrable conjura de la infanta Carlota (280)...

—Señores —declaró don Pedro (281) poniéndose en pie—, la Iglesia, como dueña del local en el cual, por su tolerancia, que no por su gusto, se celebra esta nefanda reunión, recomienda a los señores preopinantes que no hablen de las reales personas.

—Tiene razón nuestro noble castellano —dijo López (282) con sorna—. No nombraremos a ninguna persona Real; pero podemos designar por su nombre griego al que lo recibió y adoptó conforme a rito, cuando y donde todos sabemos. Hablaremos, pues, de *Dracón*.

— ¡Alto! —gritó Hillo poniéndose en pie—, porque el designado con notoria irreverencia con ese nombre, que huele a chamusquina masónica, es Su Alteza el infante don Francisco. Al menos yo lo he oido así, y no permito, señores, no permito...

—Bueno, bueno —dijo Caballero (283)—; no lastimemos los sentimientos religiosos y monárquicos con tanta sinceridad manifestados por este buen señor. A *Dracón* todos le conocemos, y no hay que hacer misterio de él ni de su nombre de batalla. Creo que se exagera la importancia del tal; de mí sé decir que no creo que exista plan ninguno verosímil fundado en la personalidad del Infante.

—Poco a poco —apuntó Nicomedes—. Fermín, a tí te consta que sí lo hay.

–No..., lo que me consta es que algunos cándidos han echado a volar ese nombre, denigrándolo con la suposición de que teníamos en la persona que lo lleva un nuevo Pretendiente. Y esto es absurdo; esto no cabe en cabeza humana, ni en la de un español de 1835, que es la cabeza que nos ofrece la Historia como más destornillada (284).

El nombre de *Dracón* saldrá a relucir varias veces más unido a esa doble adjudicación de masón y de Pretendiente a la Regencia (285). Sobre la vinculación masónica del infante Don Francisco de Paula, y su nombre simbólico *Dracón*, se ocupará también Galdós, como veremos más adelante, en el episodio *Bodas reales*.

El resto del episodio dedicado a *Mendizábal* no aporta nada especial, a no ser las sucesivas alusiones a la masonería:

–Llamésmolo *corrección fraterna*, que así deben nombrarse los hijos de tal padre. Me ha gustado don Fermín. ¿Sabe usted que los otros parecen locos?

***

–¿Conque es verdad que he conspirado sin saberlo? ¿Conque es verdad que traigo papeles que comprometen a la Real Familia... o a los reales masones, o a los isabelinos o al demonio coronado?

***

–Eso de Zahón me huele a masonería (286).

***

–¡Ay! don Fernando (287) de mi alma, como mi Religión me ordena no creer en brujas, y mi experiencia me permite creer en enjuagues masónicos, ya le veo a usted tocado de locura, y me vuelvo loco también, porque no entiendo una palabra de este intrincado negocio (288).

El fantasma de la conspiración

En otro contexto más político encontramos en el capítulo trece referencias más concretas, tanto por las personas implicadas como por el trasfondo histórico que suponen:

–Conferenció [Mendizábal] con Galiano a la hora convenida sobre asuntos electorales; con Saavedra, sobre la probable benevolencia de los moderados Toreno y Martínez de la Rosa; con Olózaga (289), para ver de que las sociedades secretas hiciesen entender a las Juntas que había llegado la hora de poner fin a la bullanga, pues en Palacio comenzaban los infalibles síntomas de desconfianza y miedo (290).

***

–Cansado de pasearse, Mendizábal sacó de su pupitre varios papeles, cartas que aún no había leido, de esas cuyo escaso interés se adivina por el sobreescrito y que se dejan sin abrir por no desperdigar la atención; otras de letra bien conocida, que, positivamente, no eran de asuntos ministeriales, más bien pretensiones ridículas, jaquecas, extravagancias, anónimos quizás, llenos de injurias repugnantes o denunciando algún proyecto terrorífico de las logias masónicas (291).

Poco después reproduce un diálogo en el que vuelve a salir el fantasma de la conspiración, y naturalmente su vinculación con las logias, si bien en tono irónico y ridículo, en especial en lo que respecta a la policía y a los llamados patriotas:

–Dígame usted..., aquí en confianza, ¿esa señora conspira?

– ¡Conspirar la Zahón...! –dijo Milagro (292) perplejo–. No..., que yo sepa, no... ¿Conspirar...! Para la Zahón no hay más política que ganar dinero, engañar a quien puede, y despojar a los infelices que caen en sus garras.

–Ello será como usted lo dice; pero yo puedo asegurarle que un compañero mío de hospedaje, que anda en las logias de la casa de Tepa, supo, a los pocos días de mi llegada a Madrid, que yo había traido ese encargo, y tanto él como sus amigos López y Caballero (293) creían, y así me lo dijeron, que el paquete era de papeles políticos y venía destinado al eterno conspirador don Eugenio Avinareta (294).

–Observe usted, amigo Calpena, que los patriotas, de tanto andar al obscuro en logias y *sublimes talleres* soterráneos, ven visiones, y como la Policía de aquí vive también palpando tinieblas, entre unos y otros le arman a usted unos enredos que le vuelven loco. El año del fusilamiento de Torrijos (295), vine yo de Sevilla a Madrid en galera, y no acelerada, con mi familia, pasando los mayores trabajos que usted puede imaginar. Diéronme allí un encargo para la señora de don Vicente González Arnao, el amigo de Moratín (296), la cual era muy obesa y padecía de estreñimiento. Por esto comprenderá usted que el encargo era una lavativa, gran pieza, modelo recién enviado de Inglaterra. Pues no puede usted figurarse la que se armó con el dichoso instrumento en cuanto me lo descubrieron los de la Policía. No le digo a usted más, sino que me costó la broma cuatro meses de cárcel, y mi mujer y mis hijos no se murieron de hambre porque les recogió un pariente de Bertrán de Lis (297)...

– ¿Y la señora de Arnao...?

–Reventó..., naturalmente. Su muerte debió ser un

nuevo cargo para la Superintendencia de Policía, como verdadero asesinato... político (298).

Dejando de lado una breve alusión a los *anilleros* (299), ya casi al final del episodio, vuelve a utilizar Galdós el recurso de la masonería como explicación popular del cambio de actitud, que las preocupaciones habían hecho en el cura Hillo (300), uno de los protagonistas del episodio:

–Muchos, ignorantes de los móviles de su conducta, le tenían por echado a perder; otros sospechaban que los jacobinos y masones le habían seducido, atrayéndole a sus conciliábulos obscuros. Su buen nombre eclesiástico no ganaba nada con esto; pero a él le importaba ya una higa la opinión clerial y todo lo que no fuera el honrado objeto de sus trabajos y pesquisas (301).

La explicación de este aparente cambio la encontramos unos párrafos después con la lectura de una de las misivas que llevó al cura Hillo a introducirse en ciertos ambientes –a su juicio no excesivamente propios de su condición sacerdotal– a fin de salvar y redimir a su protegido Calpena:

–Sé que se junta de noche con los patriotas exaltados, que asiste a sus nefandas logias y a sus ritos extravagantes. Sin duda, al verse solo y perdido trata de reformar el mundo, armándonos aquí otra revolución como la francesa, con su Convención, guillotina y todo... Pues es preciso, mi querido amigo y capellán, que usted se meta también en esas logias y cavernas endemoniadas. ¿Qué le importa a usted, si su masonismo es fingido y conserva en su conciencia el amor de la verdad y el desprecio de tales majaderías? Métase usted en la boca del lobo sin rebozo alguno, ni temor de que le crean jacobino (301 bis).

Aquí Galdós aprovecha la ocasión para volver a ridiculizar los ritos masónicos, que califica de extravagantes y de majaderías. El que esta vez lo haga en boca, o mejor dicho en pluma, de una marquesa, no es óbice para que coincida en el enjuiciamiento con lo que en episodios anteriores, y en especial en *El Grande Oriente*, hace decir a personajes mucho más afines a la masonería. Esto nos permite plantearnos una vez más la cuestión del desdoblamiento galdosiano entre su propio pensamiento y el de sus personajes, que a veces le traiciona y le hace ser el mismo en protagonistas ideológicamente no sólo distintos, sino opuestos.

Todavía encontramos en el mismo episodio algunas otras alusiones –como de pasada– en la línea de identificar las logias con la conspiración y la intriga:

–Me has tenido toda la noche en vela. Como no es tu costumbre trasnochar, me alarmé. ¿Has estado en alguna logia?...

***

–Concluyo, mi señor Capellán, advirtiéndole que en la logia de la plazuela del Carmen andan ahora en grandes peloteras. Los libres se desatan, y en su delirio, en la fiebre del motín y de la bullanga, ayudan a los estatuistas a derribar a Mendizábal... Los de la moderación que se traen ahora un cierto tacto de codos con el absolutismo, se proponen no dar tiempo a *don Juan y Medio* para la realización de su plan de reformas...

***

– ¡Buen chasco le había dado el tal Fernandito, que resultaba un triste y desamparado poeta, uno de tantos pelagatos del romanticismo sin más fortuna que su melena y su enfática misantropía! Y lo mismo pensaba seguramente el señor de Mendizábal, que habiéndole, sin duda, colocado por intrigas de las logias, acababa de ponerle de patitas en la calle (301 ter).

La última referencia masónica del episodio dedicado a *Mendizábal* también gira sobre la conspiración:

—Sin duda, el medroso Gobierno, acosado de conspiradores, viendo por todas partes misteriosos enemigos que le acechaban en la obscuridad de las logias, o le provocaban en el público escándalo de los cafés, había mandado echar la red (302).

IV. DE OÑATE A LA GRANJA

En este episodio la masonería, sin llegar a constituir el centro de atención del autor, sin embargo, aparece en numerosas ocasiones dentro de esa crónica de situaciones que supone, sobre todo, la guerra carlista. Galdós, una vez más, deja hacer y decir a sus personajes que son fiel reflejo de la sociedad de la época.

Siguiendo la constante marcada en los episodios de la serie anterior, las referencias a la masonería están íntimamente ligadas con ciertas actitudes político-ideológicas. Masonería es sinónimo no sólo de filosofismo y jacobinismo, sino de revolución y conjuración, e incluso de anarquía.

La masonería y el sistema

La masonería se identifica con el ateismo y con todo ataque contra la religión, y hasta llega a ser relacionada con el mismo diablo.

Claro que para comprender el por qué de estos juicios hay que entrar en situación. Y esa situación social e ideológica la marcan los personajes en boca de los cuales aparecen todas estas referencias. La mayor parte de las alusiones negativas, encaminadas a una identificación indiscriminada de todo lo que atente —o se suponga que atenta— contra el altar y el trono, contra el orden y la religión, vienen dadas en boca de personajes carlistas, como es el caso del médico Gelos (303), quien alude repetidas veces al masonismo, jacobinismo, revoluciones y ateismo, indistintamente, como las lacras que corroen los cimientos del orden que apoya.

Así, por ejemplo hará hincapié, refiriéndose a la desamortización, en la necesidad de luchar contra lo que ataca a la Iglesia:

— ... Ese escandaloso robo será la mecha que ponga fuego a la mina. Los cristinos en su satánica demencia, desafían a Dios... ¡le meten la mano en el bolsillo a Dios, señores, para quitarle lo que pertenece a la santa Iglesia!... ¡Están locos, locos!... y nosotros más locos todavía, si no nos aprovechamos de estos desaciertos del masonismo, abandonando los enjuagues y paños calientes, para marchar decididos al exterminio de la impiedad, de la revolución (304).

Este mismo personaje en otras tres ocasiones, sin mencionar directamente a la masonería, nos refiere qué es lo que entiende por revolución:

—Cuando vuelva usted a las cortes de Europa, señor mío, bien puede decir a esos caballeros que ya basta de protección platónica; que aquí luchamos por la causa de todas las potencias, por los tronos legítimos, contra las revoluciones y el jacobinismo, y que deben ayudar a nuestro excelso rey no con metáforas floridas, sino con metálicas razones (305).

En otra ocasión completa lo dicho, dando un nuevo matiz:

—... estamos combatiendo contra el filosofismo, y, una de dos: o perecemos todos, o el filosofismo y el ateísmo no levantan más la cabeza (306).

Coincidiendo con este último pensamiento, otro carlista, Ibarburu (307) se expresa igualmente:

—¡Pues estaría bueno que el Cielo, la suma sabiduría, diera la victoria al filosofismo, a la usurpación, a las ateas discordias!... No puede ser (308).

La masonería es también ataque político, ideológico y antirreligión, en una confusa mezcla. Calpena, el protagonista de la serie ve cómo se trata de una fuerza que arranca de las capas bajas:

—La masonería invade el saladero; se mete aquí con los presos políticos, y hace prosélitos de los cabos de vara (309)

La desconocida señora causante de los aparentes males del protagonista identifica la conspiración y el jacobinismo, con lo cual la masonería también se hace conspiración:

—Espronceda (310), el poeta de las pasiones violentas... el que de niño ya conspiraba, fundando los *Numantinos*, sociedad de jacobinismo infantil... (311).

Las relaciones de la masonería y el clero se analizan a través del personaje don Pedro Hillo (312). En un diálogo entre el cura y Calpena se manifiestan dos caras de la misma moneda: el sacerdote frecuentador de logias, o si se prefiere el sacerdote y el masón en una misma persona:

—¿Y ahora quién me quitará la tacha de clerizonte renegado? ¡Preso por conspiración jacobina, envilecido mi nombre, pues aunque todo resulte de mentirijillas, a la opinión no le consta; en lo que me queda de vida, ¡ah! he de pasar por un sacrílego, por uno de esos desdichados monstruos, como el organista de Vitoria en Zaragoza, el infame fray Crisóstomo de Caspe (313), que de fraile se trocó en masón, y de revolucionario en asesino (314).

—Pues luego se te darán satisfacciones: resultará que te han preso por equivocación, que eres un sacerdote ejemplar, un santo misionero que ibas a las logias a predicar el amor al despotismo y la mansedumbre de los carneros de Dios (315).

Poder político e iglesia, trono y clero están unidos, como se vuelve a poner de manifiesto, esta vez por boca del narrador de turno que cuenta "que entre los clérigos amigos de ambos criticaban a Hillo por meterse en belenes revolucionarios, arrimándose a las logias (316).

Logias y clubs

Desde luego no son los carlistas los únicos personajes con visión negativa de la masonería, y de todo lo que —como ya hemos constatado en episodios anteriores— se le va uniendo popularmente. No obstante el resto de las referencias masónicas carecen, en general, del tono un tanto apocalíptico usado por los carlistas. Más bien hacen referencia, en algunos casos, a los masones revoltosos, hermanados con los voceadores de clubs, como personas caracterizadas incluso por los malos modales, como contrarios a las buenas costumbres y al clero, y en suma como algo que va unido inevitablemente a la conspiración tan frecuente, pero a lo que no se hace demasiado caso en el fondo, porque no se pueden olvidar las palabras del protagonista: "estas son hablillas de logias y clubs, que quizás no tengan fundamento..." (317).

Desde un comienzo las logias y clubs aparecen igualados bajo un común denominador, al menos bajo el prisma de ciertos personajes. Así el cura Hillo dirá:

—Ningún sacrificio me parecía bastante. Olvidé hasta mi dignidad, vistiéndome de seglar, y metiéndome en los clubs, donde he contrariado mis gustos y perdido el estómago, oyendo de ciega plebe el vocear insano (318).

Y la señora desconocida escribe en carta a Calpena en la prisión:

—No te faltaba más que ser preso por masón y revolucionario, por vociferar en los clubs como el último de los patriotas hambrones... Es justo que caiga sobre tu cabeza democratista la cortante espada de la ley... (319).

Y un par de páginas más adelante volverá sobre lo mismo a propósito de Mendizábal:

—Quiero hablarte de Mendizábal, para que veas la injusticia con que le has denigrado en logias y cafés (320).

Respecto a las consecuencias de la conspiración masónica del que la dama anónima califica de dictador [Luis Fernández de Córdoba] (321), quedan reflejadas con estas palabras:

—Asumiría las atribuciones del general en jefe del Ejército y de Presidente del Consejo de Ministros; las cortes se trasladarían a Burgos..., probablemente a esas logias legales y públicas se les echaría la llave hasta que la guerra quedase definitivamente concluida (322).

Otro personaje, Zoilo Rufete (323), caracteriza el estilo de una reunión de la logia:

—Nos conocemos de la logia, señor de Calpena; solo

que está usted trascordado. En una misma noche hablamos los dos, y fuimos aplaudidos bárbaramente... Usted habló de la responsabilidad ministerial y de la manera de hacerla cumplir; yo de la intervención extranjera, sosteniendo que los españoles nos bastamos y nos sobramos para defender la libertad contra todos los déspotas de la Europa y del Asia... Después me metí con los frailes y probé que entre ellos y los palaciegos nos han traído la guerra civil (324).

Finalmente, el narrador hace interesantes consideraciones acerca de los personajes de las logias y del poder que en ellas podía existir:

—Ansioso esperaba el día siguiente para entrar en palique con los tres presos, en quienes vio acabados tipos de jamancios, o sea la variedad política y revolucionaria de los que conspiraban por hambre, metiéndose en mil trapisondas con la mira de pescar algo de lo que repartían las logias en vísperas de motín (325).

***

—... parásitos de las casas grandes; periodistas que democratizaban en las redacciones o en las logias, después de haber asistido la primera noche, vestiditos de fraque, a comidas aristocráticas... (326).

***

—No quería que los santones le echaran una mano, ni que le recibieran en las suyas las sociedades secretas (327).

***

—Aquella noche hubo en los clubs grandes algaradas. En el estamento mismo no faltó quien propusiera destronar a la reina sin pérdida de tiempo, y crear una regencia de otro sexo. Las logias ardían; los círculos de la Milicia Nacional eran verdaderos volcanes (328).

***

—Ya cargaba don Javier Istúriz (329), en medio de un gran barullo la cruz de la presidencia ministerial, llevando por cirineos a Don Angel de Saavedra (330) y a Don Antonio Alcalá Galiano (331), cuando el gran Nicomedes Iglesias (332), que ningún sendero veía para sus ambiciones fuera de la travesura revolucionaria, extremaba la oposición al Gobierno en la prensa y en las logias, con la añadidura de su hablar malévolo en cafés y tertulias, que era la peor y más terrible arma (333).

Los masones y las buenas costumbres

Dentro de lo que pudiéramos calificar crítica a la sociedad reflejada en el Episodio, también aparece la masonería con unos rasgos más anecdóticos que otra cosa:

—Aquella sociedad, donde eran mal mirados los que hablaban demasiado fuerte, y tachados de masones los que proferían palabritas picantes (334).

La señora desconocida se dirige a Calpena en estos términos:

—Y si ante ellas te presentaras con tu aire jacobino y esos modales anárquicos que has adquirido ahora, las pobres niñas se asustarían (335).

Por ello el príncipe Don Carlos (336) enumera los requisitos necesarios para quien pretenda dedicarse a la enseñanza:

—Ya sabe el señor. Reválida para la incorporación de grados, pruebas de piedad..., juramento de defender el misterio de la Inmaculada Concepción, de condenar la impía doctrina del regicidio, la absurda soberanía del pueblo, el filosofismo anárquico..., juramento de no pertenecer ni haber pertenecido a ninguna sociedad secreta... (337).

La cárcel y los conspiradores masones

Uno de los aspectos quizá más curiosos, y que podríamos denominar positivo en cuanto que Galdós nos presenta una masonería con ramificaciones en los lugares más inverosímiles, es el relativo a la escena que se desarrolla en la cárcel. Sin embargo, también aquí, la masonería reflejada es una masonería *sui generis* identificada con la política. Los protagonistas de la escena son los conjurados encarcelados que coinciden en la prisión, y que aunque no gozan de una misma situación social, sin embargo, les une la esperanza de un próximo cambio político.

Son los personajes que representan al pueblo patriota con fe en la revolución, convencidos de que "el triunfo es cosa de días". El diálogo mantenido en la cárcel por Calpena y Nicomedes Iglesias es suficientemente ilustrativo:

—¿También ahora secretos...? ¡Amigo Nicomedes, si me parece que estoy en la logia! Baja uno a este inmundo patio, y en cada tipo de calañés y zamarra le sale un compañero.

—Naturalmente, la masonería tiene en la cárcel sus ramificaciones. Aquí se conspira lo mismo que en cualquier otra parte. Comandante he conocido yo aquí que nos delató porque no quisimos hacerle Venerable; y entre los cabos hay muchos que hasta hace poco cobraban la peseta diaria que se daba por ciertos trabajos. En los días que estuvo aquí don Eugenio Avinareta (338), el primer genio del mundo en el conspirar, era éste el centro de todos los Orientes grandes y chicos, y aquí venían comunicaciones cifradas de los institutos armados, de las cancillerías extranjeras, y hasta de los ministros. En fin, no puedo decir más. Paciencia, amigo, que pronto, muy pronto ha de cambiar la faz de la nación (339).

Terminología masónica

Realmente estos personajes capaces de hablar con admiración de la abundante infiltración masónica en las cárceles, no dejan de ser vistos con ironía por el autor que, si no da juicios de valor, sí deja entrever su sonrisa irónica cuando utiliza el mismo lenguaje que estos conjurados poniendo de manifiesto, al jugar con sus palabras, la carencia de seriedad a la hora de enfrentarse con esos revolucionarios.

Algunos ejemplos pueden resultar ilustrativos. En el lenguaje de tres conspiradores encarcelados aparecen expresiones que reflejan el ambiente de las logias:

—Usted allá y nosotros aquí... Meditemos...

***

—No deje de correrse el patio mañana... antes de la comida, de diez a once. A esa hora tenemos un cabo muy bueno: Francisco, de apodo Resplandor... (340).

El narrador aclara algo más:

—Abalanzáronse a recibirle, alentados por la presencia del más benigno de los cabos, el tal Resplandor, hechura de la masonería del año 20 (341).

En el habla de los presos, gente del pueblo, aparecen

términos que el narrador vuelve a utilizar, jugando con sus connotaciones:

—Pues sí, señor de Calpena, ayer cuando le vimos a usted nos dieron ganas de hablarle; pero la verdad, yo no me atrevía... Ahora que estamos juntos congratulémonos de fraternizar aquí.

***

—Las masas no son tales masas sino cuando en ellas se mezclan las clases todas. Hermanados grandes y chicos en una mesa, la revolución... es un hecho. Pues a lo que iba, señor de calpena: mi primo Eleuterio le conoce a usted mucho, y antier me dio memorias para usted (342).

Los mismos términos utiliza el narrador:

—El señor Canencia (343), vástago de una dinastía de conspiradores que venía alborotando desde la francesada... era el abanderado de todos los motines, y el que más bulla metía, el más arrastrado y avieso si en el motín corría sangre; desplegaba un valor heróico siempre que en la asonada hubiera tropa fraternizando con el pueblo (344).

De nuevo el juego con el léxico utilizado por el narrador, nos muestra en este caso la distancia que media entre el protagonista Calpena preocupado por sus amores, y los conspiradores, por su revolución:

—Tal impresión causaron a Calpena estas noticias rápidamente comunicadas, que disimular no pudo su alegría. Maquinalmente estrechó las manos de los tres conspiradores, los cuales atribuyeron demostración tan cariñosa al entusiasmo de sectario, a una efusión de fraternidad (345).

Claro que nada puede extrañarnos después de haber leído las palabras que la desconocida señora que mueve los hilos del destino de Calpena ha escrito nada más dar comienzo el episodio: "Sepa que saldrá sin mancha de ese muladar y que sus delitos políticos se cargarán a cualquiera de los cándidos masones comprendidos en la última redada (346).

Esta última frase es realmente expresiva del retrato socio-político que Galdós hace de la masonería, pues en el mejor de los casos los masones son presentados como unos seres entre grotescos y cándidos, según que abominen o defiendan lo que la palabra masonería conlleva de conspiración y revolución.

V. LUCHANA Y LA CAMPAÑA DEL MAESTRAZGO

Revolución y mentalidad social

El fondo histórico en el que se desenvuelve este episodio es el pronunciamiento de la Granja (1836) y el conflicto liberal-carlista relativo a este período. En las distintas citas en las que Galdós alude a la masonería nos la presenta a través de sus personajes como a la principal responsable de la revolución, como a un grupo de presión, como a una secta de conspiradores. Evidentemente Galdós se limita a reflejar un determinado ambiente, una mentalidad social concreta.

Así en un contexto de tertulia de damas de cierta posición se establece el siguiente diálogo:

–Otra dama que se nos agregó, esposa de un general que ha hecho su brillante carrera hollando alfombras palatinas (no te digo su nombre: es feita la pobre; tan poco agraciada que todo el mundo cree que tiene talento, y el mundo se equivoca), nos aseguró que el escándalo que presenciábamos era obra de la masonería; que los soldados de la guardia no entendían de constituciones ni sabían si la libertad se comía con cuchara o tenedor, y que se sublevaban porque las logias les habían repartido dinero... Dijo a esto mi amiga..., y yo me vi precisado a expresar la misma opinión, añadiendo que en ningún caso es conveniente que las logias tengan dinero. Las tres hubimos de maravillarnos de que, poseyendo el rey y la grandeza los mayores caudales de la nación, sean todos los revolucionarios contrarios a la monarquía y a la aristocracia (347).

Aquí aparece claramente, dentro de una visión clasista del ejército –en la que los soldados "no entendían de constituciones, ni sabían si la libertad se comía con cuchara o tenedor"– que el dinero de las logias había sido el que había logrado el pronunciamiento de la Granja. La masonería es identificada con los revolucionarios contrarios a la monarquía y a la aristocracia.

Más adelante ya no serán las esposas de los generales las que así se manifiestan, sino los mismos militares, en este caso Fernando Muñoz (348), quien comentará que "ya él se había quejado de que la guarnición del real sitio era escasa y hecho ver al ministro que estaba maleada por las logias (349).

Excesos y principio de autoridad

Otro aspecto que encontramos –como de pasada– es el de los excesos de las logias y la falta de principio de autoridad.

En el primer caso es el narrador de turno a propósito de las reuniones en la casa de Castro (350) el que dice:

–Algunos de los tertulianos respiraban por el régimen

absolutista, pero en la forma antigua, patriarcal, no con las ferocidades que se traían los adeptos de Don Carlos, y dos tan sólo, menos aún, uno y medio casi, eran resueltamente liberales, también con mesura y templanza, renegando del faroleo continuo de la milicia nacional y de los desafueros de las logias (351).

Unas páginas más adelante será el sacerdote Hillo quien así se exprese:

—¿A donde se ha metido el principio de autoridad?, ¿lo tienen Gómez, Lucas y García (352), ¿lo tienen las logias o no lo tiene nadie? (353).

En un contexto distinto, Gay, herrero y fundidor en la Maestranza carlista (354), dirá que:

—Tanto a él como a todos los demás que no éramos de Guipúzcoa nos traían entre ojos, y como por la influencia del sacerdocio, que allí siempre está de centinela, había entre nosotros tantos soplones y cuenteros, pronto empezaron a decir si Don Ildefonso (355) era masón volteriano, que si no confesaba que si tal... (356).

***

—Luego empezaron a buscarnos camorra a mí y a otros dos castellanos. Que si éramos de la cáscara amarga, masones o perdularios ateos (357).

En resumen, en este episodio los masones son confundidos con los liberales, anticlericales (masones volterianos), revolucionarios contrarios a la monarquía y a la aristocracia...; las logias se presentan como las causantes del maleamiento de las guarniciones; y finalmente la masonería aparece como una organización de gran poder político.

La Campaña del Maestrazgo

En este episodio, el quinto de la tercera serie, Galdós relata las peripecias que, por tierras de Teruel, Castellón, Valencia y Tarragona, sufre el noble aragonés, don Beltrán de Urdaneta (358) en el ejército carlista entre febrero y mayo de 1837.

Curiosamente en este episodio no aparece ninguna referencia explícita a la masonería. Tan solo una alusión indirecta, en boca de un capitán de las tropas carlistas en el campamento de Cabrera (mayo, 1837) en tierras tarraconenses (359):

–¡Libertad! –exclamó–. Yo también quiero ser libre... ¡Muerte y Libertad! ¿No es cierto que la conciencia oprime? Pues hay que matar al déspota. Como dicen los *patriotas* y *jacobinos*... matar al tirano para ser libre. Por eso digo yo: ¡Muramos y libertémonos! (360).

El hecho de que en algunos episodios se identifique la ideología liberal y jacobina con la masonería, como hemos visto más arriba, al tratar, por ejemplo, de *Las Memorias de un cortesano de 1815*, no descarta otras interpretaciones como la de Raymond Carr que califica de jacobinos a los comuneros del trienio constitucional (361), o a la del propio Galdós, que refiriéndose al mismo período relaciona el espíritu jacobino y comunero en una escena de *El Grande Oriente* (362).

Dentro de la dinámica de los episodios galdosianos llama la atención el hecho de que tratándose de un escenario político ideológico, como el carlista, tan explotado por el autor, en otras ocasiones, sin embargo, en este caso, prescinda del tema de la masonería.

VI. LA ESTAFETA ROMANTICA

En una decoración totalmente distinta se va a desarrollar el episodio *La estafeta romántica* cuya acción se centra en torno a la regente María Cristina (363). Y aquí de nuevo hace acto de presencia el recurso a la masonería.

La técnica utilizada en esta ocasión es la epistolar. Cada capítulo, en realidad, es una carta. En la correspondiente al capítulo diez y seis, supuestamente escrita por Pilar Valvanera (364), y fechada en Madrid en el mes de abril de 1837, en un momento dado, se expresa así la firmante:

– Mi marido dio en llamarme romántica; es su manera personalísima de repudiar lo que se sale de lo vulgar y lo corriente. Yo acepto el mote, si romántico quiere decir revolucionario, porque, no te asustes, te advierto que lo soy. Me siento un poco masónica, quiero decir que prefiero los males de la libertad a los del orden. Esto es una broma, querida, no hagas caso (365).

La autora de la carta puede considerarse un personaje, si no masónico, por lo menos simpatizante con los masones. Pone en relación los siguientes conceptos: Romántica, revolucionaria, masónica, libertad; todos ellos en contraposición al orden.

Hable en serio o en broma, no deja de ser significativo el paralelismo establecido entre romanticismo y masonería, y la contraposición entre libertad y orden.

Ciertamente la revuelta romántica se valió de las sociedades secretas, y en especial de la masonería, como plataforma de lanzamiento. El liberalismo, la búsqueda apasionada de la libertad, era una especie de conspiración permanente contra el orden. Todo tenía sus males, pero, puestos a elegir, eran preferibles los males de la libertad, es decir, del masonismo, a los del orden.

Política internacional y masonería

En el capítulo treinta y cinco se reproduce la carta de don Beltrán de Urdaneta (366), que se define a sí mismo como historiador presencial y filósofo histórico, a Fernando Calpena, joven inteligente, amante de los estudios históricos, para que pueda archivarlos y enseñarlos. Está fechada en Madrid y septiembre de 1837. Y el tema central es un pasaje de la historia de España vivido por el anciano Don Beltrán:

—Los personajes de mi comedia son la reina doña María Cristina, su hermano el Rey de las dos Sicilias, la infanta doña Luisa Carlota, Luis Felipe, rey de los franceses; don Carlos V, pretendiente al Trono de España; y por bajo de estas cabezas más o menos coronadas, y no muy provistas de seso, figuran embajadores y mensajeros con nombres efectivos o figurados (367).

Tres son los pasajes que inciden en el tema de la masonería:

—Sale Cristina maldiciendo, en férvido monólogo, a la llamada Revolución de La Granja, que ha mancillado su real dignidad. He aquí la Corona de España manoseada por cuatro sargentos, y la suprema autoridad traída y llevada del cuartel a la Cámara regia (368).

***

—La Reina no se cree tal Reina, sino un juguetillo masónico, y la situación liberal nacida de aquella rebeldía grotesca cáusale pavor y repugnancia. Desde su palacio ve a los liberales enjaretando con infantil candor una nueva Constitución, que se ve obligada a reconocer y jurar como el mejor de los entretenimientos posibles (369).

La Corona de España manipulada por cuatro sargentos a raíz de la Revolución de la Granja. La Reina es un "juguetillo masónico". La situación liberal, nacida de aquella "rebeldía grotesca", le produce pavor y repugnancia. En síntesis, pues, aparecen como conceptos implicados: revolución, rebeldía, liberalismo y masonería, con la nota peculiar de que se atribuyen a unos militares.

Nuevamente, pues, entra en escena el elemento militar vinculado a la masonería. Ya han pasado los tiempos de Fernando VII en los que la represión contra los masones fue especialmente dura entre los militares. ¿Se trata de la pervivencia más o menos generalizada de la creencia subversiva masónico-militar del período anterior, o es un nuevo brotar de situaciones que se creían superadas?

En el segundo pasaje, dentro de la misma carta, entra en escena el rey de Nápoles:

–Aparece Fernando II, Rey de las Dos Sicilias (370), trayendo a su lado por confidente a Rapella (371), y le dice que ha meditado en el caso gravísimo de la sucesión en España, sacando en limpio de sus cavilaciones que María Cristina es prisionera de la Revolución y un instrumento de la anarquía española. Desea, pues, el soberano de Parténope que su querida hermana se aleje del foco revolucionario, cortando relaciones con la caterva masónica, que ha convertido el suelo ibérico en una morada infernal. Por usurpadora tiene la llamada *Causa de la angélica Isabel*, y reconoce y declara como legítimo sucesor de Fernando VII a don Carlos María Isidro, en quien ve el escudo de la Fe y la salvaguardia de los buenos principios de gobierno. Acuerda, pues, proponer a su hermana doña Cristina que busque medio de evadirse del cautiverio en que la tienen liberales y democratistas, trasladándose a un punto donde pueda reconocer la legitimidad de su egregio cuñado (372).

Dentro de esta historia "recreada" por Galdós, a juicio de Fernando II, rey de las Dos Sicilias, María Cristina está prisionera de la revolución y la anarquía, y para alejarse del foco revolucionario tiene que cortar relaciones con la caterva masónica, con los liberales y con los democratistas.

Dejando a un lado las expresiones de "caterva masónica", y "morada infernal", con toda la carga afectivo-ideológica que llevan consigo, es sintomático el que Fernando II pida a su hermana que corte sus relaciones con los masones, dando a entender que con la muerte de Fernando VII, la persecución de la orden masónica no sólo había desaparecido –sobre todo a raíz del decreto de amnistía de 1834– sino que los masones habían recuperado la iniciativa política del país.

Finalmente la tercera alusión la protagoniza esta vez el rey de Francia (373):

–De todo esto se trata por embajadas que van y vienen, hasta que sale Luis Felipe, también echando pestes contra la Revolución y el jacobinismo, pues aunque él debe su Trono a un alzamiento popular, no fue éste denigrante y rastrero como nuestra sargentil algarada. Ha meditado en ello, acariciándose con la gruesa mano su cabezota en forma de pera, y saca de su magín la clara idea de que el decoro monárquico exige a la pobrecita reina Cristina burlar, con una bien dispuesta escapatoria, el cautiverio en que la tienen los masones y carbonarios disfrazados de hombres de gobierno (374).

Si prescindimos de la descripción que, de pasada, hace de la revolución de la Granja, calificada de "sargentil algarada" y alzamiento popular "denigrante y rastrero", la intervención de Luis Felipe de Francia es para echar pestes contra la Revolución y el jacobinismo. La Reina Cristina debe burlar el cautiverio en que la tienen los masones y carbonarios, que son realmente los que gobiernan; o, si se prefiere, los hombres que gobiernan están teñidos de masonería y carbonería. La ilación de masones y carbonarios es un dato nuevo, pero que encaja perfectamente con la creencia popular en la que participaba el clero, a raíz de la Constitución *Ecclesiam Christi* de Pío VII (13 septiembre 1821), en la que son condenadas las sociedades de los *Liberi Muratori* o de masones, "sociedad de las que –a juicio del Papa– es imitación la de los Carbonarios, si no es una rama" (375).

No es, pues, de extrañar que en ciertos ambientes, a partir de entonces la masonería se confunda con los carbonarios, como grupo conspirador, dentro de la genérica denominación de "sociedades secretas".

Los carlistas y la masonería

En una nueva carta de don Beltrán de Urdaneta (376) a Fernando Calpena, se refiere a los intentos del rey Don Carlos y su séquito para apoderarse del trono de España según lo pactado con la Reina María Cristina, y a la posterior retractación de ésta, una vez sofocada por los oficiales la sublevación sargentil de la Granja:

–Mal defendido Madrid por escasa guarnición y por la Milicia Nacional, no había que temer seria resistencia, en caso de que el masonismo lo intentara (377).

El rey, pues, está optimista, ya que le han dicho que la entrada en Madrid sería fácil y pacífica. Además, Madrid está mal defendido, y no hay que temer seria resistencia en caso de que el masonismo lo intentara. ¿Se puede deducir de esto que el "masonismo" controlaba los órganos de gobierno y de defensa del Estado?

—Esperábamos todos que al día siguiente, 13, se daría un ataque formal a la coronada Villa. Cabrera (378) no deseaba otra cosa; quería ser el primero en asaltar la guarida de la Revolución y el masonismo (379).

Nuevamente se identifica masonería y revolución, o mejor dicho masonismo —con todo lo que el término tiene de despectivo— y revolución, cuya guarida era Madrid, la villa coronada, y cuyo ataque preparaba Cabrera con verdadero entusiasmo.

La siguiente alusión proviene del propio gobierno cristino, y del tumulto armado en las Cortes a raíz de la discusión del pronunciamiento de la Granja:

—Los ministros increparon el pronunciamiento, invocando las sagradas libertades, la disciplina y demás cosas bellas que nadie ha sabido respetar, y al fín resultó lo que se deseaba, que era el menoscabo y vuelco de la situación liberal y masonil (380).

Se trata, pues, del restablecimiento del orden después del pronunciamiento. Se había producido el menoscabo y vuelco de la situación liberal y masonil, bajo la invocación de las sagradas libertades, la disciplina y demás cosas bellas que nadie había sabido respetar. Es interesante la contraposición de "situación liberal" y "sagradas libertades". La primera es propia de la masonería, es una libertad revoltosa y subversiva; mientras que las "sagradas libertades" aparecen como la libertad de la disciplina y el respeto al orden establecido.

Y es aquí donde Galdós se permite terciar a propósito de las revoluciones militares en España:

—La buena lógica pide que la revolución de sargentos sea enmendada por oficiales, y la de éstos por generales, hasta que las hagan los mismísimos Reyes, sublevándose contra su propia majestad y prerrogativas. Heños aquí, mi buen Fernando, en presencia del fenómeno histórico que singulariza a la España de nuestros días; y perdona que tome este tonillo cargante y este amanerado estilo de discurso para señalarte el dicho fenómeno. Tantas frases sonoras y campanudas se me ocurren para maldecir esta endiablada máquina de las sublevaciones militares, que prefiero no transcribir ninguna, seguro de que otras voces y plumas lo expresarán más campanuda y gravemente que yo en el curso infinito de nuestras políticas trapisondas. Es un hecho, es un vicio de la sangre, del cual participamos todos, y con él hemos de vivir hasta que Dios quiera curarnos. Yo no he de verlo, y se me figura que tú tampoco lo verás (381).

En el mismo contexto se habla de la caida del liberalismo y las logias, como un vergonzoso estado político:

—Dan por fenecido el vergonzoso estado político que instituyeron con brutal grosería Higinio y Alejandro. El liberalismo y las logias cayeron (382).

Finalmente, y sin salirnos del mismo capítulo y carta de don Beltrán de Urdaneta, nueva entrada en escena de Luis Felipe:

— Luis Felipe, que juega con dos cartas, halagando por un lado al absoluto, por otro a la Reina, y solicita de ésta que sofoque el incendio revolucionario y masónico... (383).

La política de Luis Felipe a favor del *absoluto* [Don Carlos] tiene como contrapartida las presiones ante la Reina para que "sofoque el incendio revolucionario y masónico".

Una vez más, para ciertas actitudes políticas, la revolución y la masonería se presentan cogidas de la mano. La metáfora de que los masones son un "incendio", con la connotación que el término tiene de propagación y destrucción, es suficientemente elocuente.

VII. VERGARA

Este episodio se desarrolla en un contexto fundamentalmente carlista; de ahí que nuevamente la mayoría de las alusiones a la masonería concluyan dando una visión de la misma equivalente a un foco de conspiración que trabajaba por la causa liberal de Madrid contra la integrista del legítimo Don Carlos. Esta apreciación es lógica, pues la mayoría de las opiniones están expuestas por seguidores de Don Carlos. Así mismo, observamos que la masonería se mueve exclusivamente en niveles muy altos: militares de elevada graduación, cuyo objetivo era establecer la paz.

Militares y masones

Las alusiones a la masonería, en la mayor parte de los casos provienen de la opinión pública o de no masones, y en especial de personas relacionadas con el clero apostólico, como el sacristán Videchigorra (384). Pero en varios casos éstas van referidas a militares de alta graduación a los que en algunas ocasiones se les vincula con la masonería:

–Pedían aquí que viniese Cabrera a enderezar el torcido altarejo de la causa, pues era el único hombre de empuje y circunstancias, y allá que la perdición del Rey estaba en los generales de anteojo y compás (385).

***

—Era el sacristán... Apostólico furibundo, abominaba, como el obispo de León, de los generales de anteojo y compás, y en ellos veía el trastorno y ruina del reino (386).

Como se ve son alusiones más metafóricas que reales referidas a un emblema tan masónico como es el compás.

En otros casos la alusión es más directa en la formulación, aunque en el contexto se les achaque los mismos males de "perdición, trastorno y ruina del reino", o los de negación de Dios, de la Virgen..., fruto del culto de la libertad:

—Ahí tenéis al espadón de los libres echando a la titulada Gobernadora un memorial sedicioso... ¿Qué es esto? Celos y envidias, señores; verdadero furor masónico por la dominación. ¿Qué vemos ahí? El nefando progreso, negación de Dios; el execrable culto de la libertad, negación de la Virgen... (387).

***

—¿Qué quiere el apócrifo general y conde de engañifa? Pues quiere la dictadura militar; quiere ser Atila, señores, el azote del género humano, y venirse luego acá con la guillotina, la Convención, el culto de los dioses paganos y la libertad de la imprenta... El masonismo quiere tener en una mano las arcas reales, y en otra los soldados que con engaño y violencia defienden el falso trono..., quiere por medios infernales derribar el trono verdadero, que se apoya en el lábaro, y traernos el imperio del error y el materialismo (388).

Libertad, paz y masonería

El que estas palabras las ponga Galdós en boca del sacristán de Mondragón, apostólico furibundo, y "hombre muy leído" que se sabía de memoria las Gacetas carlistas y estaba al tanto de cuanto pasaba en las regias Cortes, empezando por la del legítimo (389), hace que refleje no sólo a los generales masones, sino una serie de características con que Galdós rodea al "masonismo".

La primera de ellas es la libertad, o si se prefiere "el execrable culto de la libertad", ejercido por los generales de anteojo y compás, y en especial por el que califica "el espadón de los *libres*". Otra característica es el "nefando" *progreso*. Y como antítesis de ambas, como si se tratara de una consecuencia irremediable: la negación de Dios, consecuencia del progreso; y la negación de la Virgen, consecuencia de la libertad. Con el progreso y libertad, vendrían "el culto a los dioses paganos", la "libertad de imprenta" y finalmente "el imperio del error y del materialismo".

Por esta razón, el sacristían expresará sus sentimientos sin tapujos:

– Seamos macabeos, seamos valerosos y píos, hasta dar cuenta de la hidra, señores, de la bestia masónica y atea (390).

Otra característica que queda patente –y que en parte es contradictoria con el concepto anterior de libertades "el furor masónico por la dominación", que intentaba convertirse en dictadura militar, "azote del género humano", en la que no faltaría ni la guillotina, ni la correspondiente Convención.

Finalmente, dentro de este amasijo de ideas y conceptos, la contraposición entre el lábaro sobre el que se apoyaba el trono verdadero, y los medios infernales que pretendían derribarlo para implantar el imperio del error y el materialismo. La alusión a los medios *infernales*, se explicita todavía más uniéndola al *satanismo*:

—¿Qué pretende el corifeo de los *libres*? La dictadura, tras de la cual vendrá el satánico reinado de la diosa razón... Pueblos engañados por el masonismo, despertad, venid... (391).

Como contrapartida al espectro liberal anterior estaba la solución conservadora o moderada, también calificada de *retroceso*, para distinguirla del *progreso* del otro partido:

—Se había descubierto una conspiración civil y militar para quitar la Regencia a doña María Cristina y darla..., ¿a quién, señor?, al infante don Francisco de Paula. Por lo disparatado y extravagante, encontró este notición fácil acceso en la mayoría de las cabezas. Ello debía de ser, en opinión de muchos, un nuevo delirio masónico. Por otra parte, el moderantismo triunfante, o *retroceso*, desataba vientos de discordia. En casi toda la península se había declarado el estado de sitio, sin más objeto que perseguir y encarcelar a los *libres*; la imprenta era toda mordazas (392).

Un nuevo elemento es el de la paz, si bien aparece camuflada de diablo, con lo que la visión masónica del sacristán vuelve por los cauces propios de la terminología de su oficio:

— Astutos emisarios del masonismo se habían introducido en el campo carlista, sembrando la discordia con escritos infames, con falsificadas epístolas, en que se suponían tratos y contubernios de los leales con la rebeldía de Madrid. El diablo andaba suelto y con máscara de paz. (Habían proyectado robar a Don Carlos). Enmascarado de fueristas venían ... titulándose *nuncios* de paz... Bastóle al Señor producir entre los infames regicidas una confusión semejante a la de Babel... prodigio sublime con que el Señor justiciero anonadó a los enemigos de su causa (393).

El abrazo masónico de Vergara

Frente al pensamiento del sacristán de Mondragón que es el protagonista utilizado por Galdós en este episodio como portavoz de lo que una parte del pueblo español pensaba de la masonería, nos presenta al general Maroto (394), quien también hablará de la masonería en términos que aluden, sobre todo, a la revolución:

–¿Qué papel hago yo entregando mi ejército al masonismo y a la impiedad revolucionaria?

***

–... pero no pidan a Rafael Maroto que firme una paz a gusto de los masones y comuneros.

***

–Si en ello se empeña, no habrá paz, y España se acabará... Más quiero verla muerta que en brazos de masonismo y la revolución (395).

Dentro del mismo contexto hay una nueva alusión en boca de Maroto, pero esta vez se trata de una "masonería apostólica":

–Andese con cuidado con las mujeres navarras, que todo lo que tienen de bonitas lo tienen de fanáticas. Rara es la que no está afiliada en la policía, mejor dicho, en la masonería apostólica (396).

En este caso hay una curiosa trasposición ideológica al asimilar la policía carlista con la masonería apostólica en un común denominador de fanatismo.

VIII. MONTES DE OCA

La masonería pasada de moda

En este episodio, que se situa en la época del alzamiento militar moderado contra Espartero (397), y que dió lugar a la ejecución de Montes de Oca en 1841 (398), las frases y alusiones a la masonería son escasas y sin mayor importancia. Aparece más claramente aún que en los episodios anteriores que la masonería es algo cuyo apogeo pertenecía ya al pasado, pero a un pasado de conspiraciones y revoluciones:

–Por algo que dejó escapar la suma discrección de Espartero, por lo que poco antes había dicho a la Duquesa y por lo que oyó después en la secretaría, entendió Ibero (399) que el Gobierno olfateaba conspiraciones. Síntomas de displicencia apuntaban en ciertos círculos, resto nefando de antiguas logias; cuchicheos misteriosos sonaban en los cuarteles. El *retroceso*, abrazando con sentimental quijotismo la causa de Cristina y declarándola víctima inocente de una intriga brutal, se apiñaba para adquirir una fuerza de que carecía (400).

La alusión al "resto nefando de antiguas logias" empalma con otro pasaje en el que se incide en la misma sensación de que el protagonismo masónico correspondía a tiempos "no muy lejanos":

– Una vez lanzado a la irregularidad, fácilmente recayó Ibero en otros vicios muy propios de la vida militar y de los ocios de la guarnición en tiempo de paz. Por distraerse, dejábase llevar de la corriente licenciosa de sus compañeros y amigos. En la calle de la aduana tenían una timba, exclusivamente para militares, algo como casino o "cuartón", que había sido logia en tiempos no muy lejanos, y en el callejón de

Sevilla había otro "asilo" de esta clase para pasar las noches no menos correcto, pero más divertido (401).

Todavía encontramos una nueva referencia en el mismo sentido cuando Galdós describe al comienzo del episodio la Fonda Española, recinto que "aún conservaba olor a trazas de logia masónica":

–Por todo ello tuvo la Fonda Española un éxito tan rápido como lisonjero, y el público invadió desde los primeros días el modesto y lóbrego de la calle de Abada, recinto que aún conservaba olor a trazas de logia masónica, piso bajo con dos rejas a la calle y entrada por el portal. Era éste ancho, con zócalo de azulejos negros y blancos como tablero de ajedrez, bien alumbrado a primera noche por un farolón de dos mecheros, oscuro a última hora y expuesto a tropezones, que a veces eran graves, sin contar el desagradable "quien vive" de las humedades mingitorias (402).

La masonería ya no conspira

Sin embargo aunque por las expresiones anteriores pudiera dar la impresión de que Galdós nos presenta la masonería como algo ya caduco en 1841 –precisamente dos años antes del nacimiento de Galdós– la sigue manteniendo como telón de fondo, en el que a veces se confunde la rememoranza del pasado con ciertos toques de actualidad.

De esto hay, al menos, tres ejemplos, en otras tres escenas en las que interviene el militar Ibero, capitán cristino de la columna Zurbano en la campaña de 1838:

–Don Manuel –dijo Milagro (403)– vivamente interesado en la cosa pública, déjese de bromitas y vamos al grano. Señor Ibero, si no hace mucho que no ha venido usted del Maestrazgo, sabrá qué opiniones privan en el ejército, si seguiremos con la regencia una o la estableceremos trina.

– Yo no sé nada de eso –replicó el militar–. Allá no pensamos más que en perseguir al enemigo.

– Que nos cuente sus hazañas –propuso el diamantista–, pues más debe interesarnos un poquito de historia, por breve que sea, que todos los chismes masónicos (404).

***

– Yo no entiendo de política –dijo el militar– con sinceridad y convicción; no sé lo que son los partidos ni para qué existen las logias, pero declaro que creo en la libertad y la tengo por cosa excelente (405).

***

– Obedeció Ibero, y una vez los tres en la calle oscura, desembuchó Carrasco (406) lo que del misterioso mensaje aún quedaba en su cuerpo. La casa en que el teniente coronel Gallo (407) citaba a su amigo, era un piso segundo en el número 13 del Postigo de San Martín.

– Y qué es lo que yo tengo que hacer allí? –dijo Santiago [Ibero], perplejo y de mal talante–. Esto me huele a tapujo masónico.

– Yo no soy masón, para que ustedes lo sepan.

– Ni yo, iba a decir don Bruno; pero Milagro se apresuró a cortarle la palabra con manifestaciones que, si no revelaban escuetamente las fórmulas rituales del masonismo, eran de la casta más próxima.

–Tampoco nosotros; pero blasonamos de liberales, queremos la felicidad de la patria, y contribuimos en nuestra esfera humilde al triunfo de los buenos.

–Nada, señor Ibero, –declaró con austeridad Carrasco–, cuando mi sobrino le llama a usted a ese punto, es porque le necesita, es porque... se le estima útil, indispensable, como quien dice... (408).

Dejando a un lado la contraposición inicial entre historia y chismes masónicos, que hoy día sigue teniendo tanta actualidad como en el siglo XIX, sí queda manifiesto que en la conspiración planeada por Montes de Oca, nada tiene que ver la masonería, aunque Ibero cuando va a reunirse por esta cuestión, con el Teniente Coronel Gallo diga: "Esto me huele a tapujo masónico... Yo no soy masón"; y más adelante le contesten "tampoco nosotros; pero blasonamos de liberales, queremos la felicidad de la patria, y contribuimos en nuestra esfera humilde al triunfo de los buenos.

La masonería no es protagonista, pero sí aparece ligada a las ideas de libertad, patriotismo, y si se quiere, de filantropía.

Ibero, militar moderado, se precia de no ser masón, ni pertenecer a ninguna logia, y considera las logias como círculos en los que se manifestaban "síntomas de displicencia"; tanto él como sus amigos consideran las logias como algo intrínsecamente relacionado con las ideas revolucionarias, con los pronunciamientos y cadalsos, y con los partidos.

La masonería entre lo negro y lo blanco

En este episodio se puede asegurar que la masonería, tanto en su pasado inmediato, como en el concepto que en general tienen de ella los diversos personajes que entran en escena, aparece íntimamente relacionada con intrigas de gobiernos, revoluciones, clubs, pronunciamientos..., es decir, que resulta tratada sólo políticamente, o como integrante de los llamados asuntos públicos. En este sentido hay todavía un pasaje en el que precisamente se habla de María Cristina y Espartero, y en el que de nuevo se mencionan las logias:

–Acogía Maturana (409) con cascada risilla senil las manifestaciones egoistas de su amigo, y el buen manchego, tomando muy en serio su papel conciliador, discutía una componenda que sería muy felicísima si fuese práctica. ¡Lástima grande que doña Cristina hubiera incurrido en la flaqueza de emparentar secretamente con Muñoz (410); lástima grande también que Espartero se hubiera precipitado a casarse con doña Jacinta Sicilia (411). Si uno y otro estuvieran solteros en aquel crítico momento de la historia patria, con una simple boda se realizaría la felicidad de la creación...; no habría ya pronunciamientos, ni logias, ni cadalsos, y daría gusto ver cómo marchaban fácilmente los asuntos, cómo prosperaba el trabajo (412).

Aunque aquí la palabra logia está tomada como sinónimo de masonería, en otros casos, hemos visto, que hace referencia a los locales donde en un pasado todavía reciente se reunían los masones; locales que son descritos como tabernas o timbas de militares.

El episodio empieza hablando precisamente de la Fonda Española, modesta y lóbrega, "recinto que aún conservaba olor y trazas de logia masónica". Más adelante dirá que en la calle de la Aduana existía una timba, exclusivamente para militares, algo así como casino o "cuartón", que "había sido logia en tiempos no muy lejanos".

Frente a estos rasgos, que pudieran interpretarse en un sentido de desprestigio, y en los que la masonería es tratada más o menos despectivamente, la única vez que se habla en un tono favorable o positivo es en la descripción hecha por don Gerardo:

–Así es –replicó don Gerardo (413)– hombre comedido, discreto, que se oía cuando hablaba, y no hablaba más que lo preciso; funcionario excelente, de procedencia masónica de los "Tres Años", que no había llorado largas cesantías, y usaba en invierno y verano levita muy larga y sombrero de copa de desmedida elevación. Ya ve el país que el señor de Cortina no se duerme. Hombres como don Manuel son los que han de regenerarnos. Prepara reformas en todos los ramos; en minas, en policía, en caminos vecinales, y, sobre todo, en instrucción pública, que es el *barómetro*, ya lo saben ustedes, el *barómetro de la civilización de los pueblos*. Con esto, y el buen gobierno de la Hacienda y las economías, la riqueza pública y privada tomará gran desarrollo. Un buen Gobierno trae la confianza, y la confianza trae la riqueza, el curso de los capitales, la circulación del numerario... (414).

Aquí resulta tan importante el elogio del funcionario cuyo origen masónico se remontaba al trienio liberal, como el comentario de la situación del país y sus posibles remedios que refleja una mentalidad acorde con la ideología de aquel funcionario masón.

IX. LOS AYACUCHOS Y BODAS REALES

Este episodio, al igual que los demás de la serie tercera, tiene como protagonista a Don Fernando Calpena, personaje de talante liberal que mantiene correspondencia con un amigo liberal y otro conservador. La trama argumental gira en torno a las peripecias amorosas del protagonista.

Aquí Galdós vuelve a la técnica narrativa epistolar. La acción, que se desarrolla en el período de la Regencia de Espartero, queda, pues, descrita a través de las cartas que se cruzan entre sí D. Fernando, su madre, su novia y sus amigos.

Tertulias políticas

Ante el lector circulan la vida palaciega de la infanta Isabel (415), sus educadores, su proceso de aprendizaje, su carácter en esta primera época, para mostrarnos después la paulatina descomposición del prestigio de la Regencia de Espartero, que tiene su punto culminante en el bombardeo de la ciudad de Barcelona.

Muy pocas son las referencias a la masonería que se hallan a lo largo del relato; únicamente es mencionada en tres ocasiones y de una manera superficial, sin detenerse en ella.

En la primera, la mención se encuadra dentro de una carta de Don Serafín de Socobio (416), de ideología conservadora y partidario de María Cristina, a Don Fernando Calpena, donde le narra el intento de asalto al Palacio Real para liberar a la infante Isabel de las manos de la Regencia:

–Pero si contra Espartero nada digo, permitirá usted que despotrique a toda mi satisfacción contra la cuadrilla masónica que le rodea, criminal autora de estos desastres... Sí, sí, mi señor D. Fernando: esta Regencia intrusa que nos han traído dará al traste con España si Dios misericordioso no pone mano en ello (417).

Como vemos D. Serafín llama "cuadrilla masónica" a los hombres que rodean a Espartero y les acusa de traer una Regencia intrusa, que está llevando a España al desastre. En este caso, el calificativo de masón, en boca de un conservador aparece como sinónimo de liberal, progresista, etc. El apelativo de masón se aplica a los enemigos políticos de corte liberal.

En la segunda referencia, Calpena cuenta a su madre que estuvo viendo una función teatral, y que, al acabar ésta, subió al camerino del actor principal, donde le preguntaron si era ayacucho:

–Porque allí, como en todas partes, no se habla más que de política, y el aposento del actor parece club, logia o rincón de café patriótico (418).

El hecho de que en el camerino, donde había varias personas reunidas, se hablara de política hace que el comentario de Calpena sea que el aposento de actor parecía "club, logia o rincón de café patriótico". Evidentemente el término logia está usado aquí como sinónimo de lugar donde se reune gente para hablar de política.

Finalmente, D. Santiago Ibero narra a D. Fernando cómo los monjes de San Quirico y diversos personajes notables, trataban de formar un bando político-religioso para apoyar el casamiento de la Reina con el hijo de Don Carlos (419):

–El enjuague que se traían aquellos señores con los *papiolistas* y otros clérigos muy apersonados que venían de Manresa, de Vich o de Tarragona, era formar un potente bando político-religioso que apoyase el casamiento de la Reina con el hijo de Don Carlos (420), para que así quedara triunfante la santa religión. Este partido rechazaría el casamiento con cualquiera de los hijos del infante de D. Francisco, pues ambos, a lo que parece, están dañados de masonismo, y masona es también la infanta Carlota (421).

Aquí no se sabe qué llama más la atención, si las conspiraciones de los monjes de San Quirico, o la mentalidad de los conspiradores en cuestión, integrantes del bando político-religioso que rechazaba el casamiento con cualquiera de los hijos del infante D. Francisco, por estar tocados de "manismo". Para este grupo ultraconservador y filocarlista, la masonería es, pues, algo malo, una tara.

En resumen, dos citas de personajes conservadores nos dan una visión de la masonería como algo pernicioso, malo. La condición de masón se achaca, en los dos casos, a los enemigos políticos, los liberales, la única vez que un personaje liberal alude a cuestiones masónicas, lo hace para identificarnos logia con club o café patriótico donde se habla de política.

El último episodio

En *Bodas reales*, el último episodio de la tercera serie tan solo existe una cita referida a la masonería. Aparece en el capítulo 24 y empalma precisamente con la última comentada del episodio anterior, relativa a los candidatos al matrimonio de Isabel II. Dice así:

–Déjame seguir. Sabemos también que si liberal fue doña Luisa Carlota no lo fue menos su augusto marido el infante don Francisco de Paula, el cual, por lo callado y circunspecto, parece menos agudo de lo que es. Yo siempre le tuve por hombre de mucho asiento, y buena prueba de ello dio a toda la Europa cuando felicitó a nuestro don Baldomero (422) por su elevación a la Regencia (423)... Pues los amigos de Madrid me han contado que en los tiempos en que regentaba la napolitana, don Francisco honró con su presencia las reuniones masónicas, queriendo de este modo mostrar su gusto del filosofismo, y le pusieron de mote *Dracón*, por ser costumbre antigua en las logias llamar a las personas con nombres que no fueran de santos... De aquí vino que la Corte se alborotara; pero aquello no pasó adelante, porque su alteza, hombre de gran prudencia, no quiso traer más turbaciones al reino. Lo evidente es que las ideas avanzadas del de Paula las ha heredado su hijo don Enrique

(424), el cual nos parece muy digno de ser esposo de nuestra reina, y, por tanto, el primer hombre de la nación (425).

Galdós pone estas palabras en boca de Bruno Carrasco (426), defensor del Progreso e incondicional de Espartero. Se trata de una conversación mantenida entre D. Bruno y su mujer, Leandra, a propósito del matrimonio de la reina Isabel II, próximo a celebrarse, y para el cual se barajaban diversos candidatos, entre ellos los dos hijos de D. Francisco de Paula, D. Enrique y D. Francisco (427).

Como puede apreciarse las conclusiones a las que llega el partidario de Espartero son totalmente distintas de las de los monjes conspiradores de San Quirico.

Para Bruno Carrasco la solución matrimonial se basaba precisamente en las razones por las que era rechazado para el "bando político-religioso del monasterio de San Quirico". Una vez más es el enfrentamiento de dos ideologías, unas "avanzadas" y otras más tradicionales. Y entre medio la masonería identificada con las ideas entonces consideradas avanzadas.

A título de hipótesis cabe preguntarse si Galdós no se identifica con don Bruno en el juicio del infante, según las informaciones que sus "amigos de Madrid" le habían contado de los tiempos en que regentaba la napolitana.

El infante masón Francisco de Paula

Como curiosidad hay que señalar la costumbre masónica española, ya que la masonería española es la única que la sigue, de que los masones tomaran en las logias, a partir de su iniciación, un nombre simbólico "que no fuera de santos". El marido de la infanta Carlota, D. Francisco de Paula, habría tomado en este caso el nombre del legislador de la Grecia antigua, Dracón. Y el que sea Bruno Carrasco el que dé tal noticia tampoco es ocioso, ya que se trata del único personaje en todo el episodio presentado como masón, y por lo tanto supuesto conocedor de las interioridades de la orden masónica.

Esta cita de Galdós –escrita en 1900– aborda precisamente uno de los puntos un tanto controvertidos de la historia de la masonería española: el de la pertenencia a la masonería del infante Francisco de Paula. El momento elegido por Galdós para relatar este episodio es el año de las bodas reales de la reina Isabel II y de su hermana Luisa Fernanda (428), bodas que como sabemos se celebraron el 10 de octubre de 1846, el mismo día en que Isabel cumplía 16 años.

Sin embargo Galdós en su referencia masónica de Francisco de Paula, padre del que acababa de convertirse en rey de España –ya que su hijo el infante Francisco de Asís fue el que entre los varios pretendientes acabó casándose con Isabel II– se remonta a los tiempos de la regencia de María Cristina; es decir a un período comprendido entre 1833 y 1841, que es cuando empieza la regencia de Espartero ante la renuncia de la reina gobernadora. Y es precisamente en esa época cuando el infante don Francisco de Paula, "augusto marido de doña Luisa Carlota", honró con su presencia las reuniones masónicas, según la versión de Bruno Carrasco, es decir, de los masones de 1900. Pero añade Galdós que, en vista de que la Corte se alborotó, "aquello no pasó adelante" porque su alteza, "hombre de gran prudencia, no quiso traer más turbaciones al reino".

En síntesis, pues, según la cita de Galdós, dos cosas quedan claras. En primer lugar que Francisco de Paula habría asistido a algunas reuniones masónicas en un período indeterminado que coincide con la regencia de María Cristina, y, por lo tanto, en el mejor de los casos, anterior a 1841. En segundo lugar, que, ante la reacción de la Corte, aquello no pasó adelante.

No obstante en las historias masónicas al uso se suele señalar el año 1839-1840 como el de la fusión del Grande Oriente Nacional con el Supremo Consejo. Y precisamente, según dichas historias masónicas, habría sido designado para el cargo de Gran Comendador y Gran Maestre el infante de España, don Francisco de Paula Borbón, quien ostentaría ese cargo desde 1839 hasta 1844.

Y aquí ya entramos en el terreno de las contradicciones. Si nos atenemos a Galdós, quien no parece estar mal informado desde un punto de vista histórico, el nombramiento del infante como supremo jefe de la masonería española, tanto en su versión simbólica, como en la filosófica, resulta irreal. Pero es que además existe una nueva contradicción, que es el decreto de la Reina Gobernadora, dado en Aranjuez el 26 de abril de 1834, por el que, si bien se amnistiaba a los masones que con anterioridad hubieran pertenecido a dicha orden, e incluso se les facultaba el acceso a cargos públicos, sin embargo se condenaba severamente a quienes a partir de esa fecha continuaran perteneciendo a sectas secretas. Y que fuera precisamente un miembro de la familia real el que transgrediera esta orden, resulta un tanto inverosímil.

En cualquier caso son dos enfoques o modos de tratar un mismo tema, coincidentes en el hecho de la vinculación masónica del infante, aunque divergentes en el momento de tal vinculación, que, dentro de un desarrollo lógico, tendría que haber sido entre 1833 y 1834, es decir, en los primeros meses de la regencia de María Cristina, y antes de su doble decreto de amnistía y prohibición masónicas.

Como reflexión final de la escasa información de la masonería que en este episodio nos ofrece Galdós, se puede resaltar el que la masonería aparece, una vez más, muy unida o por lo menos relacionada, con el liberalismo, aspecto que coincide con la visión general que de ella se tenía en esa época. En igual medida se presentan las reuniones masónicas como lugares de reflexión filosófica, y, a nivel general, resulta estar mal visto el pertenecer a ella, incluso en ambientes tan liberales como el de la Corte de aquellos años.

Así concluye la tercera serie de los Episodios, en la que nos hemos vuelto a encontrar con referencias masónicas en todos los episodios, si bien se nota una disminución en la importancia de tratamiento concedido a la masonería en el período en cuestión, que va de 1834 a 1847, y que es reflejo de una disminución paralela de la incidencia de la propia masonería en la vida político-social española de la época relatada en esta tercera serie.

LA CUARTA SERIE DE LOS EPISODIOS

La cuarta serie abarca un período especialmente interesante para la historia de España, pues va desde vísperas del revolucionario año de 1848 (429), hasta la "Gloriosa" de 1868, y salida de la reina Isabel al exilio.

Los diez episodios de la serie corresponden a *Las tormentas del 48, Narváez, Los duendes de la camarilla, La Revolución de julio, O'Donnell, Aita Tettauen, Carlos VI en la Rápita, La vuelta al mundo en la "Numancia", Prim* y *La de los tristes destinos.*

Galdós los escribió desde marzo de 1902 a mayo de 1907, guardando una distancia o perspectiva histórica que oscila entre los 55 años del primer episodio a los 40 del último; perspectiva algo más reducida que la correspondiente a la tercera serie que osciló entre los 64 y 54 años.

I. LAS TORMENTAS DEL 48

En este episodio, Galdós, a diferencia del anterior *Bodas reales*, hace bastantes alusiones a la masonería. Trata de las Memorias o Confesiones de José García Fajardo (430), y en consecuencia está escrito en forma autobiográfica, iniciándose el 13 de octubre de 1847 y acabando el 12 de junio de 1848.

Los primeros capítulos se desarrollaron en Italia, ya que, aunque el protagonista está ya en España cuando empieza a escribir sus "Confesiones", éstas comienzan con el relato de las vicisitudes del citado José García durante su anterior estancia en dicho país. Esta es la razón por la que las primeras citas aluden no a la masonería española, sino a la italiana. De todas formas, dada la repercusión que supuso para los católicos de España lo que estaba ocurriendo en los Estados Pontificios a raíz de los intentos de reunificación italiana, tiene también su incidencia en nuestra historia.

Masones y carbonarios

En concreto en el capítulo segundo el protagonista en cuestión, que por esas fechas tenía 22 años, hace continua referencia a su estancia en Italia, por lo que casi toda la acción transcurre allí:

—Los tres que nos habíamos reunido en estrecho pandillaje ofensivo y defensivo leíamos a escondidas libros vitandos, y los comentábamos en nuestras horas de recreo. Della Genga (431) introdujo de contrabando las "Ideas sobre la Historia de la Humanidad", de Herder (432), y Fornasari (433) guardaba bajo llave, entre su ropa, el libro de Pierre Leroux (434) "De l'humanité, de son principe et de son avenir". Con grandes embarazos leíamos trozos de ambas obras, que cada cual explicaba luego a los dos compañeros. El hábito de la ocultación, del misterio, nos llevó a sigilosas prácticas inspiradas en el masonismo, y no tardamos en inventar signos y fórmulas con las cuales nos entendíamos, burlando la curiosidad de nuestros compañeros. Estaban de moda entonces la masonería y el carbonarismo, y Fornasari, que era el mismo demonio y se había instruido no sé cómo en los ritos y garatusas de aquellas sectas, estableció entre nosotros un remedo de ellas, poniéndonos al tanto de los sistemas y artes de la conspiración. Nos teníamos por representantes de la "Joven Italia" dentro de aquellos muros, y con infantil inocencia creíamos que nuestra misión no había de ser enteramente ilusoria (435).

Aquí, en esta cita, Galdós, deja constancia, a través de las memorias de José García Fajardo, que tanto la masonería como el carbonarismo estaban entonces de moda en Italia. Por otra parte la masonería italiana aparece rodeada de los mismos caracteres de ocultación y misterio que la española. Tampoco faltan las referencias más o menos despectivas a "los ritos y garatusas de aquellas sectas", y a "las artes de la conspiración".

Sobre este particular unas líneas más abajo completa la visión:

–Indudablemente nuestro destino nos llevaba a situaciones arriesgadas, pues sin pensarlo nos habíamos ido a vivir en el cráter de un volcán: debajo de nuestro aposento, en un lugar oscuro y soterrado, había una logia. Lejos de contrariarnos esta peligrosa vecindad, fue para los tres motivo de contento, y Della Genga, que era tan antojadizo como tenaz, no paró hasta procurarnos entrada en aquel antro, donde podíamos satisfacer nuestro candoroso anhelo de masonismo. Lo que allí ví y escuché no correspondió al concepto que de los sectarios habíamos formado los tres en nuestras íntimas conversaciones. Mi desilusión fue, sin duda mayor que la de mis amigos. Fornasari largó una noche un discurso lleno de hinchados disparates; pero su espléndida voz triunfó de los desvaríos de su lógica y la aplaudieron a rabiar (436).

Es significativo que la logia de que hablan estuviera en "un lugar oscuro y soterrado" y se la compare con "el cráter de un volcán". Sin embargo parece ser que luego dicha logia no era tanto un lugar de conspiración o foco de sectarismo, como parecían apuntar los deseos o ilusiones de los defraudados protagonistas, sino un lugar de reunión, donde cada cual echaba su discurso y expresaba su opinión más o menos disparatada.

Liberalismo y masonería

Todavía prosigue la misma cita de las "Confesiones" o Memorias, aludiendo a la muerte del Papa Gregorio XVI, y a los posibles papables, entre los que aparece uno que podría ser futuro Papa Gizzi (437), "con ribetes de masónico", y que vuelve a plantear de nuevo la estrecha vinculación existente en ciertos ambientes entre los conceptos liberal y masónico, que, en este caso, cuestionan una cierta cercanía o proximidad entre la masonería y algunos sectores liberales del clero.

En el capítulo quinto se vuelve a hablar de la masonería como posible agente de la revolución dentro de un contexto italiano:

– Hablamos de política. Pronto comprendí que estaba el hombre cogido por las sociedades secretas.

– Un hombre, sólo hay un hombre que pueda traernos la revolución.

– ¿Y quién es ese hombre?

– Mazzini... (438).

– Mi pena no me dejó espacio para sostener la conversación. ¿Qué me importaban a mí Mazzini y toda su turbamulta de las logias? (439).

La alusión a la persona de Mazzini no es fortuita ya que con su "Joven Italia" simbolizó en cierto sentido la idea de reconstrucción de la unidad nacional, caballo de batalla de los patriotas militantes en las sociedades secretas de la época, entre ellas la propia masonería italiana respecto de la cual estuvo muy próximo Mazzini, hasta el punto de que en varias ocasiones le fue concedido el título de "Gran Maestre ad Honorem".

Progresismo e intolerancia

Aunque ideológicamente está conectado con lo anterior, sin embargo la escena siguiente tiene lugar ya en España, y es un fiel reflejo de la visión que una parte del clero español –representado en este caso por un canónigo– tenía de la masonería:

– Cuevas y el coronel (440) acogieron la misión papal con benevolencia, afirmando que, pues las ideas de Cristo eran francamente liberales, su Vicario en la tierra debía pastorear a las naciones enarbolando en su báculo la bandera del Progreso. Oir esto el canónigo y soltar la risa estúpida, grosera y provocativa, fue todo uno.

– ¡Vaya, que será linda cosa un Papa progresista!... ¡La Iglesia dando el brazo a los hijos de la Viuda!... ¡Cristo entre masones..., ja, ja, ja..., y la Santísima Virgen bordando banderas liberales como la Mariana Pineda!... (441).

Aquí resulta curioso ver hasta qué extremos llega la identificación progresista y masón. Tomando al canónigo de la escena anterior como representante de una buena parte, por lo menos, del clero de la época nos hacemos una idea de la intolerancia existente entonces en ciertos sectores, tanto hacia la masonería como hacia el progresismo. Para esas gentes era totalmente impensable y disparatada la existencia de una cierta armonía, no digamos ya alianza, entre la Iglesia y el progresismo [¡un Papa progresista!], o entre la Iglesia y la masonería [¡Cristo entre masones!].

Esta actitud de intolerancia es también compartida por una gran parte del pueblo:

– ¿Qué te ha contado ese pícaro? –pregunté viéndola

venir–. Porque ya no dudo de que andan por ahí gorriones que van de oreja en oreja desacreditándome...

–No, lo que es el mío no me engaña. Pienso que se habrá quedado corto en contarme tu libertinaje de Roma. No quiero decirte los azotes que yo te hubiera dado si te cojo en el momento de descolgarte, con aquel par de mequetrefes, de los techos de San Apolinar... ¿Pues qué te habría hecho si te veo entrar en la infernal caverna masónica?

– Querida hermana, tú has leido mis "Confesiones"...

– Yo no he leido nada. ¿Necesito yo leer para enterarme? Aquí sabemos todos los pasos buenos y malos de las personas que nos interesan (442).

La expresión "infernal caverna masónica" es suficientemente gráfica.

Pío IX masón

El tema masónico –dadas las características del protagonista del episodio– sigue teniendo un cierto tinte eclesial, esta vez reflejado en la acusación de masón dirigida nada menos que contra Pío IX (443):

– Tengo que advertirle, señor mío, que procure no desentonar en sus opiniones políticas cuando tenga ocasión de manifestarlas. Hace poco le hablaban a usted mi marido y sus amigos del liberalismo de Pío Noveno..., y, como es natural, lo condenaban..., porque esas son sus ideas. Cuando el señor de Clonard (444) dijo que el Papa actual es "un Robespierre con tiara", y que preside las logias masónicas, usted se indignó, puso el grito en el cielo y ..., ya recuerda lo demás. Pues es preciso que varíe de táctica y que acomode sus opiniones a las de mi gente, si no quiere que con suavidad y finura le cierre yo las puertas de mi casa (445).

La relación entre Pío XI y la masonería en el sentido

de ofrecer un Papa masón "presidiendo las logias masónicas", es quizás uno de los casos más claros de transposición histórica de Galdós, pues la leyenda de un Pío IX francmasón se remonta a 1868, y alcanzó su mayor consistencia en una serie de publicaciones hacia los años 1890 y 1900, es decir, cuando Galdós escribe este episodio, pero que no coincide, ni mucho menos, con el momento en que se desarrolla la acción del mismo: 1848.

Precisamente el período clave de confrontación, y no precisamente amistosa, entre la Iglesia Católica y la Masonería, coincide con el pontificado de Pío IX y el de su inmediato sucesor León XIII. Solamente de los años correspondientes a estos dos pontificados se conservan más de 360 documentos condenando la masonería, carbonería y sociedades secretas en general. Esta cifra es abrumadora si la comparamos con los menos de 20 documentos correspondientes a todos los demás pontificados que se ocuparon del mismo tema.

Entre los muchos documentos que se podrían citar para dar una idea de las relaciones entre Pío IX y la masonería, baste señalar una carta al cardenal Caraffa de Traetto, arzobispo de Benevento, y al cardenal Cosenza, arzobispo de Capua, en la que el mismo Pío IX indica explícitamente a la masonería como "liquidadora de la sociedad cristiana, y fundadora de la sociedad de la impiedad" (446).

Por lo que respecta a España, es muy posible que la información de Galdós viniera del libro de Leo Taxil: "La leyenda de Pío IX masón", publicado en Barcelona a finales de siglo. Aunque las especiales circunstancias que concurrieron en la persona de Leo Taxil no lo convierten en testimonio digno de tenerse en cuenta, sin embargo no se puede negar que su influjo fue extraordinario en la mentalización antimasónica de toda una época (447).

Otra vez la conspiración

Más adelante, en el capítulo diez y siete, vuelve a salir a colación la masonería como sinónimo de conspiración:

– Preguntéle si conspiraba, y con viva efusión, iluminado el rostro por llamaradas de alegría, me contestó que sí. Conspiraba porque se lo pedía el cuerpo, porque el conspirar era olvido de las penas, venganza de la injusticia y fuente de risueñas esperanzas; conspiraba también por patriotismo, para que la nación saliera pronto de tantas desventuras. Como no tenía ocupaciones de oficina ni de nada, se pasaba el día charlando de la conspiración con sus amigos viejos o con los nuevos que en el campo democrático le habían salido. El rincón de un café, el cuchitril de una portería o las negras estancias de una mala imprenta eran sus logias, y cuando no se terciaba el arrimo a cualquiera tertulia revolucionaria, satisfacía su anhelo en los corrillos de la Puerta del Sol, conventículo habitual de cesantes (448).

El hecho de presentar a las logias como lugares de conspiración es todo un síntoma ya que cualquier parte donde se reunía un grupo bajo el móvil común de la conspiración, se la denomina logia. Aquí Galdós no hace sino reflejar el concepto popular que establecía una identificación entre liberalismo y masonería. No es ningún secreto la fuerza que esta idea alcanzó hasta el extremo de que para los conservadores clericales el liberalismo no era sino una conspiración masónica permanente.

Las tres últimas citas del episodio relativas a la masonería inciden en la misma idea, ya que dan por sentada una unión, unas veces cierta y otras no tanto, entre liberal y masón.

En la primera, en la que se interpela a un cura, se da casi por supuesto que, puesto que se trata de un cura algo liberal y que tiene tratos con Olózaga (449), ha de ser por lo menos masón:

– Pues usted es de los mansos que triunfarán y gozarán la paz, como uno de los pocos progresistas que visten sotana. No será mala canonjía la que darán a usted los Olózagas cuando venga la revolución.

– ¿A mí?... No me hará daño. *Verba oris ejus iniquitas et dolus*...

– Pero ¿de veras no es progresista?

– Yo nada soy.

– ¿Ni siquiera masón?

– *Nihil*

– ¿No cree usted que la reina dará pronto el Poder a los progresistas?

– ¿Yo qué sé de eso? Y pregunto: ¿quién es la reina? En los Estados no me pongan monarca con faldas, sino rey macho. Yo hablo siempre del rey.

–Entonces es usted carlista.

–Yo no... Creo en un soberano (450).

En la segunda cita, de carácter más internacional, se habla de una "constitucioncita" dada por el Papa para acallar a los masones, término que aquí engloba a los liberales en general:

– También se dijo que estas marimorenas no son de nuestra invención, y que todo viene armado de fuera, de la Europa, y de las naciones extranjeras, que están toditas revolucionadas y dadas a los demonios. El reino de Nápoles arde; el mismo Papa no ha tenido más remedio que largar una constitucioncita para sosegar a los masones; otro rey italiano, don Carlos Alberto (451), va contra el Austria, para quitarle unas provincias que ya son italianas, ya tudescas... (452).

Por último la tercera cita hace referencia al pronunciamiento revolucionario del regimiento de infantería que tuvo lugar el 7 de mayo de 1848 en la plaza Mayor de Madrid, y que fue rápidamente sofocado:

– Parece que van ganando los de Narváez (453). Ya no atacan tan sólo por la Sal y por Atocha, sino también por los portales de Bringas. En una casa de la calle Mayor, con balcones que caen a la Plaza, junto a la Panadería, metieron tropa y ya están largando tiros desde el piso segundo... Oiga, don José: Yo he traido mi pistola y pólvora. Si quiere que dispare desde el balcón contra los republicanistas, verá que pronto pongo a dos o tres patas al aire.

– No, no; aquí somos neutrales. Vencerá el Gobierno. No tomemos partido ni por la revolución, ni por el orden.

– Yo estoy siempre con el orden, y por esto hay en la vecindad más de cuatro que no me tragan. En la taberna de la calle Imperial oí ayer tarde runrunes, y así como latines masónicos... Me dió en la nariz olor de chamusquina, y me traje la pistola por lo que pudiera tronar (454).

Aquí la expresión "latines masónicos" alude a rumores de conspiración y de pronunciamiento liberal, en el que participaran o no los masones, por lo pronto ya queda clasificado como asunto masónico.

II. NARVAEZ Y LOS DUENDES DE LA CAMARILLA

Libertad, unidad, fraternidad

Después del episodio anterior en el que hay una mayor incidencia en las referencias masónicas, todo hacía pensar que en *Narváez*, que por su política, de orden y rigor se prestaba a una mayor acción antimasónica, las alusiones a los "hijos de la viuda" serían más numerosas. Sin embargo tan sólo encontramos tres momentos en los que Galdós toca el tema, y de estos, dos se refieren no a España, sino a Italia:

—... las graves noticias llegadas de Roma...

—Acerca del marqués de Azeglio (455), propagandista de las ideas liberales bajo la bandera papal, y del partido llamado Joven Italia, que proclamaba las dos grandes ideas Libertad y Unidad; acerca del grande y austero revolucionario Mazzini (456)..., les dí prolijos informes que a mi parecer se aproximaban bastante a la verdad. Las concesiones de Pío IX a los revolucionarios, que aparecían en las calles de Roma ennegrecidas aún con el tizne de las logias, yo las había presenciado (457).

Unas líneas más abajo incide en el mismo escenario:

—Según las noticias de Roma que nos llegan por los correos de Francia, Rosi (457 bis) fue víctima de su temeraria confianza o de su indomable valentía. Más altanero que precabido, despreció los avisos que se le dieron de que las logias habían decretado su muerte (458).

Como se puede ver, en pocas líneas, y utilizando como cobertura al marqués de Azeglio, aparecen casi todos los temas italo-papales del momento: la Joven Italia, Mazzini, Pío IX, los revolucionarios, las ideas de Libertad y Unidad... todo ello "ennegrecido con el tizne de las logias".

La otra alusión a la masonería se refiere a una cuestión de ayuda o "pacto fraternal", con visos de masónico, en asuntos de enchufes políticos:

— A mí viene mi nunca bastante ensalzado suegro, y me manifiesta que seré pronto diputado en elección parcial. Aunque harto estaba yo de saber lo que se urdía, híceme de nuevas, para que el Sr. de Emparán (459) pudiera darse el lustre de su protección y de mi agradecimiento. Desde abril venía mi hermano Agustín trabajando a la calladita con el conde de San Luis (460) este negocio, y elegida entre las dos vacantes la de Tolosa, no necesitó más el Gobierno para ver en mí una firmísima columna del Régimen. A fines de mayo, sólo faltaba el exequatur de los caciones, diputados por Vizcaya, Guipúzcoa y Alava, que, poseedores de toda influencia en las tres provincias, tienen hecho un pacto fraternal con visos de masónico, por el cual mandan ellos solos dentro de aquel país con cierta independencia del mangoneo ministerial (461).

Tópicos masónicos

El episodio titulado *Los duendes de la camarilla* se sitúa en 1850, y las referencias masónicas, que tampoco faltan en este caso, aparecen en diversas tertulias o conversaciones, en las que se refleja una mentalidad tópica respecto a los masones.

En uno de los casos Galdós relata por boca de una de las protagonistas femeninas de la escena, diversas andanzas de la vida interna de un convento, en particular la historia de una monja milagrera, Sor Patrocinio (462), de gran influencia dentro y fuera del convento:

– Patrocinio, cuando no estaba en oración, se pasaba las horas en su celda escribiendo cartas. Llevaba larga correspondencia con personas desconocidas de fuera, que la tenían al tanto de todas las intrigas y diabluras masónicas (463).

***

–Después de tanto absolutismo, vinieron al poder progresistas masónicos, y la emprendieron con nuestra santa (464).

***

–Cuando el tribunal masónico dispuso que, para observar a Patrocinio y ver si eran verdaderas o fingidas sus llagas, la trasladasen del convento a una vivienda particular... (465).

En un contexto parecido de tertulia entre varios personajes que comentan la situación política y la llegada al poder de Bravo Murillo (466), hay unas cuantas alusiones a las constituciones del 37 y del 43 desde una óptica absolutista, para concluir con una expresiva referencia masónica, sintomática de toda una mentalidad:

–En esto entró un clérigo, que se refregó las manos junto a las brasas diciendo:

–Créame el amigo Centurión (467), son los mismos perritos del 37 con los collares que se pusieron para hacer la del 43... Pero a mí no me la dan. No me trago yo el bolo de que D. Juan Bravo Murillo viene a desembarazarnos de la Constitución y a devolvernos la sencillez clásica del Absolutismo... Para esto necesitaría traer otra gente. A estos hombres no les entra en la cabeza el Gobierno de Cristo. Mírelos usted bien y verá que por debajo de los faldones de las casacas bordadas se les ve el rabo masónico... (468).

Solidaridad masónica

La ayuda o solidaridad masónica es otro de los temas abordados en este episodio, en una escena en la que Lucila (469), la protagonista femenina del relato, dialoga con el capitán Bartolomé Gracián (470), a quien esconde y protege, ya que ha sido condenado por un tribunal de guerra:

—Alma mía, aquí no hay mujerío ni monjío; el socorro y las esperanzas de libertad nos vienen de mis compañeros de armas agazapados en las logias... (471).

***

—Sabes tú, pobrecilla, las ramificaciones que por una y otra parte de la sociedad tienen nuestra comunidad masónica?

—¿Quién te ha dicho que no enlazamos nuestros hilos con hilos muy finos de conventos y palacios? ¿De donde sacas que el señorío y el monjío no se dejan también camelar por los caballeros Hijos de la Viuda? (472).

Solidaridad masónica y persecución policial son las dos caras de esta escena que se complementa varios capítulos después en un diálogo mantenido entre Lucila y su amiga Dominiciana (473), en el que manifiestan su deseo de proteger al capitán Gracián de su propia temeridad:

—Pues para sujetarle y poner trabas a ese valor, que no viene a cuento, hay un recurso, Lucila, y es meterle mucho miedo.

—¡Miedo.. a él!

—No se trata de ponerle un espantajo como a los gorriones, sino de amenazarle con peligros muy verdaderos. Díle que en estos días anda la policía muy atareada, cazando con bala o con liga, como puede, pajarracos masónicos y militares sin seso... (474).

Finalmente hay una última alusión a las logias, que no tiene más valor que el de constatar cómo la presencia del tema se mantiene en las más diversas situaciones. En este caso se trata de un caballero cesante, D. Mariano Díaz de Centurión, que alardea de poseer valiosas informaciones secretas, ante Lucila y Domiciana, las cuales comentan así la situación:

– ¡Pero este D. Mariano...! ¿No te parece que está loco? Y esa noticia de militares, ¿qué será?... ¿Pues sabes que me ha dejado perpleja y con ganas furiosas de saber?... Es un perro... Cuando le da por callar, molesta más que cuando nos aturde con sus ladridos... No me sorprende que sepa cosas muy reservadas... Estos cesantes rabiosos se meten en todos los rincones para olfatear lo que le guisa, y lo mismo entran en las sacristías que en las logias... (475).

III. LA REVOLUCION DE JULIO, O'DONNELL Y AITA TETTAUEN

En estos tres episodios, que abarcan desde 1852 a 1860, y a pesar de que en los dos primeros cabía esperar una mayor alusión a la masonería, sin embargo, las referencias son muy escasas y tanjenciales, como si la masonería hubiera perdido vigencia en el relato de Galdós.

Masones y medidas policiales

En *La Revolución de julio* tan sólo hay una cita puesta en boca del jefe de policía de Madrid, señor Chico (476), al marqués de Beramendi (477), en la que intenta probarle que todo el mundo tiene un fiador, un padrino:

– Oigame usted otra: ¿a que no me acierta donde han ido a celebrar sus aquelarres los malditos masones, que yo desalojé de la logia de Tepa? Pues a la casa de una tal Rosenda (478), frescachona ella y desahogada, que hoy es querida del señor Toja (479), uno de los primeros sacaplatos y mete-sillas de la Casa Grande. Al día siguiente vino a verme el señor Toja y aquí entró, andando como un lorito, y me dijo, dice: "Amigo Chico, no se meta en vedado si no quiere tener un disgusto". ¡Pues anda y que se les lleve a todos el Demonio!... (480).

De la escena anterior, y a pesar de su brevedad, se puede deducir que por los años 1852 la policía perseguía a la masonería, y cerraba las logias donde "celebraban sus aquelarres los malditos masones", según expresión del jefe de policía madrileño. Persecución que como contrapartida era compensada por la ayuda que a su vez recibían los masones por parte de personas influyentes en la Casa Grande.

En O'Donnel (481) volvemos a encontrarnos con el mismo tema y protagonista un par de veces más, al tratar la cuestión de la masonería. La primera vez es a propósito de los comentarios hechos sobre las actividades de dicho jefe de policía, don Francisco Chico, al que, entre otras muchas cosas, se le acusa de jugar con cartas señaladas y ser "el primer puerco del mundo" (482):

–Pues el muy marrajo [Sr. Chico], para dar gusto al Gobierno, se cebaba en los que caían en sus manos, por mor del conspirar y de la política. El que era masón y andaba en algún enredo para echar proclamas o escribir contra la Reina, ya podía encomendarse a Dios. A nadie metía en la cárcel sin darle antes un pie de paliza para hacerle confesar la verdad o mentiras a gusto de él, con las que se abría camino para prender a otros y abarrotar la cárcel... A un primo mío, Simón Angosto, zapatero en un portal de la calle de la Lechuga, que los lunes solía ponerse a medios pelos y cantaba coplas en la calle, con música del *izno* de Espartero (483) y letra que él sacaba de su cabeza, le cogió una noche saliendo de la casa de Tepa, y tal le pusieron el cuerpo de cardenales, que *gomitó* el alma a los dos días.

—No fue así, Pepa *Jumos* (484), no fue así —dijo *Sebo* (485) gravemente poniendo en su acento todo el respeto a la verdad histórica—. A Simón Angosto se le hicieron los cardenales y se le aplicó de firme el vergajo porque anduvo en aquellas trapisondas..., bien me acuerdo..., cuando mataron a Fulgosio (486)... Se le encontró una carta con garabatos masónicos y razones en cifra que parecían... así como un conato de atentado contra Narváez (487).

Aquí Galdós no contento con dejar constancia de que "el que era masón y andaba en algún enredo... ya podía encomendarse a Dios", aporta el ejemplo práctico del zapatero en cuestión al que le cogieron a la salida de la logia de la casa de Tepa y le encontraron una "carta con garabatos masónicos" cuando mataron a Fulgosio, es decir, en 1848, que es cuando dicho militar murió.

Más adelante vuelve Galdós sobre un nuevo incidente policial, protagonizado también por el señor Chico y su acompañante el señor *Sebo*, y que como en el caso anterior costó igualmente la vida a otro zapatero, esta vez el de la calle de Toledo. El incidente tiene su gracia y su importancia, por cuanto, a pesar del gracejo del relato, encierra una dura crítica de ciertas actuaciones policiales con trasfondo político, y en las que se utilizaba a la masonería como *Deus ex machina* que sirviera de cierta justificación.

La escena es larga, pero ilustrativa:

—Y esto no me lo ha contado nadie, sino que lo han visto estos ojos, porque yo, aunque no soy vieja ni lo quiera Dios, he visto mucho mundo y pillería y mucha; tanto, que de ver canalladas sin fin, cada lunes y cada martes, paréceme que soy vieja, lo cual que no lo soy, sino que lo viejo es el mundo y las malas partidas que se ven en él... Pues el día aquel, ya van para seis años, en que el pobre zapatero de la calle de Toledo le tiró un ladrillo a don Francisco Chico, desde el primer piso bajando del cielo, yo estaba en la acera de enfrente hablando con mi comadre la Venancia, que tenía cacharrería donde hoy están los talabarteros... Pues como allí estaba una servidora, todo lo ví, y nadie me lo cuenta... Y digo que el ladrillo no fue ladrillo, sino un pedazo de cascote, y que no le cayó a don Francisco en la *canoa*, como dijeron y mintieron, sino que se *espolvoró* en el aire, y solo unas motas fueron a dar en el hombro del Chico, y otras salpicaron al que le acompañaba, que era el señor de *Sebo*, aquí presente. Atrévase a decirme que esto no es verdad... Se calla y rezonga, como los perros... Un perro fue entonces. ¿Quién subió como un cohete a la casa de donde tiraron las *mundicias*? ¿Quien bajó en seguida trayendo al zapaterín cogido por el pescuezo? ¿Quien...?

—Cierto que fuí yo..., no puedo negarlo— dijo *Sebo* con trémula voz—. Pero, como ha declarado el señor Centurión (488), lo hice por Ornato Público, o por *Policía* y *Buen Gobierno*, que era el *Ramo* en que yo servía entonces. Y dice el bando de 1839, en su artículo 5º: "Los que arrojen a la calle basuras, cascos de loza o ceniza de braseros pagarán 40 reales de multa, sin perjuicio de las penas en que incurran en el caso de causar daño a los transeúntes..."

—¿Y por qué bando fusilásteis al zapaterito?...

—Eso no es cuenta mía, ni tuve nada que ver. ¿Que el hombre fuera masón y guardara papeles que le comprometían, y una estampa indecente de Fernando VII con orejas de burro..., es acaso culpa mía?

—¿Y de que por eso le fusilaran —agregó Centurión— es culpa de nadie..., más que del sicario de Narváez?

—Sobre pintarle al Rey orejas que no eran las suyas —dijo *Sebo*, defendiéndose con timidez—, que a la letra decía: "Marchemos, y yo el primero por la senda borrical de la reacción".

—El cerero don Gabino Paredes (489) cortó con su desentonada voz la disputa histórica, sosteniendo que ninguno de los señores presentes tenía culpa de las barbaridades del 48. Todo ello se hizo para guarecernos de las revoluciones y tempestades que venían de la Francia, de la Italia y de la Hungría, y cerrarle la puerta al maldito Socialismo (490).

Creo que la escena es suficientemente gráfica en la pluma de Galdós, y refleja un momento histórico de España, relacionado con la revolución del 48, pero aplicable a otros momentos y "revoluciones" de la historia española posterior.

Desamortización y masonería

La tercera y última vez que Galdós se ocupa de la masonería en *O'Donnell* —también de pasada como en los casos anteriores— es en una escena en la que se habla de la pobreza de España y de los métodos desamortizadores empleados en su tiempo por Mendizábal. Escena que servirá para identificar tres términos: desamortización, masonería, política infernal:

— De Mendizábal acá, nadie ha pensado en que España es un pobre riquísimo, un vejete haraposo, que debajo de las baldosas del tugurio en que vive tiene escondidos inmensos tesoros... Pues O'Donnell levantará las baldosas, sacará las ollas repletas de oro, y con ese oro, que es a más de riqueza talismán, le dará al vejete unos pases por todo el cuerpo, a manera de friegas, devolviéndole la juventud, la fuerza física y mental.

—Tronó don Saturno contra eso; Eufrasia y Beramendi (491) rieron; Nocedal (492), más desdeñoso que indignado dijo que la figura podía pasar, pero que la idea era detestable y masónica. La palabra "Desamortización" corrió de boca en boca, y en la de Riva Guisando provocó esta opinión escéptica:

–Hágase la prueba... Sáquese del subsuelo un poco de pasta, dénsele las friegas al vejete... Véase qué cara pone, y si le entusiasma la idea de recobrar la juventud... Porque si después de desamortizar salimos con que el viejo requiere sus andrajos y clama porque no le quiten de la cara sus benditas arrugas, no hemos hecho nada...

–Y tal alboroto levantaron las ideas de Tarfe, que hasta la salita donde comía don Serafín llegó el eco de los apóstrofes, réplicas duras y burlonas risas. El pobre señor se afligió enormemente cuando Valeria le dijo que hablaban de Mendizábal y de la Mano Muerta, y con la suya, que no estaba muy viva, dió sobre la mesa no pocos golpes, diciendo:

–Tarfe masón... Perdónele Dios.

–Tan excitado se puso, que Valeria pasó al comedor para rogar que se variase de tocata.

– ¿Qué hay, hija mía?

–Papá está furioso por lo que dice Manolito Tarfe. Manolito, haga el favor de no ser aquí tan masónico.

– ¿Qué ha dicho mi buen amigo don Serafín?

–Que toda política que va contra Dios es una política infernal (493).

Represión masónica

En el episodio *Aita Tettauen*, que tiene su acción en la guerra de Africa de finales de 1859 y comienzos de 1860, tan sólo hay una referencia a la masonería, que, además, es rememorativa, pues se remonta al Madrid de los años 50.

El narrador de turno cuenta la vida y milagros del cura castrense don Toribio Godino (494), personaje galdosiano de ficción, en estos términos:

—... En su juventud había conocido y tratado a famosos clérigos, como Ruiz Padrón, Muñoz Torrero (495) y otros, de quienes se le pegó el tufillo liberal, que no pudo echar fuera de sí en sucesivos años. Fue perseguido el 24 con tal encarnizamiento, que si no se refugiara en Portugal, le habrían quitado la vida. Repatriado en tiempos de la Regencia, vivió gracias a la protección del señor Garelly y de don Javier de Burgos (496), que, si no le estimaba mucho como sacerdote, apreciábale como latinista... Míseramente pudo sostenerse en curatos rurales, luchando con la malquerencia de facciosos más o menos encubiertos. Siguió hasta el 50 amparado de la obscuridad, sin poder aspirar a mejor acomodo; pero en aquella fecha se desencadenó contra él furioso viento de persecución, sin saber de dónde venía, y obligado a trasladarse a Madrid, se le acusó de masonismo y se le retiraron las licencias. Tales injusticias y crueldades indujeron al don Toribio a ser poco discreto en la manifestación de sus ideas, un tanto libres en todo lo que no perteneciese al dogma (497).

Como vemos, al binomio masonería-liberalismo, se une en este caso el de clero-persecución.

IV. CARLOS VI EN LA RAPITA Y LA VUELTA AL MUNDO EN LA "NUMANCIA"

Progresistas y demócratas

En estos dos episodios la masonería apenas sale a relucir. Hay una notable disminución del interés galdosiano por el tema. En *Carlos VI en la Rápita*, que, como el propio título indica, se desarrolla durante la segunda guerra carlista, tan sólo hay una referencia, puesta en boca del arcipreste de Ulldecona, Juan Ruiz Hondón, "don Juanondón" (498), el típico cura convertido en jefe carlista de la zona:

– Pero, ¿no saben que Inglaterra protege al progreso y a la masonería, porque así se lo manda el protestantismo? Los progresistas cuentan con el apoyo de Inglaterra, protectora de la Unión Liberal de O'Donnell, de Prim (499), y de este maldito Dulce (500) que manda en Cataluña (501).

La alusión al progreso y los progresistas defendidos por la masonería y por Inglaterra, en cuanto reflejo de algo que estaba en ciertos ambientes, no carece de interés, como tampoco la mención de la Unión Liberal, de O'Donnell, Prim y Dulce.

La Vuelta al mundo en la "Numancia" tiene como escenario, en gran medida, el viaje que realiza Diego Ansúrez (502), segundo contramaestre, a bordo de *La Numancia* que dará la vuelta al mundo e intervendrá en la Guerra del Pacífico. Pero antes de emprender el viaje se ve forzado, por asuntos familiares, a desplazarse al granadino pueblo de Loja, lugar habilmente elegido por Galdós para referirse a los célebres sucesos allí acaecidos en 1861. Y es precisamente aquí donde nuevamente entra en escena la masonería:

–No causaron al hombre de mar [Ansúrez] poca maravilla las noticias de su concuñado don Cristino, de la organización y disciplina masónica que impusieron los liberales para formar un haz de combatientes con que tener a raya el poder ominoso de la Moderación (503).

Como se ve, la expresión "organización y disciplina masónica" es suficientemente vaga, y se presta a múltiples interpretaciones, entre las que cabe una identificación de la "organización" con la masonería, o también el de que la disciplina masónica, es decir su método, se aplicó a "otra" organización distinta.

Unas líneas más bajo, Galdós es más explícito, y nos descubre cual era el verdadero sentido y fin de esa "organización" disfrazada externamente con ciertos ropajes o "disciplina" masónicos, nacida contra la pretensión de ciertos ilustres propietarios que querían imperar "sobre las vidas, haciendas, almas y cuerpos de los habitantes de Loja", procediendo según "impulsos atávicos" por los que "creían cumplir una misión social reduciendo a los inferiores a servil obediencia", al igual que en tiempos de sus tatarabuelos, cuando "no había Constituciones encuadernadas en pasta, para decorar las bibliotecas de los centros políticos" (504).

Tras esta velada crítica constitucional, y denuncia de la situación social de Loja, añade Galdós:

–Contra la soberanía bastarda que la nobleza y parte del estado llano establecieron en Loja, la otra parte del estado llano y la plebe armaron un tremendo organismo defensivo. Por primera vez en su vida oyó entonces Ansúrez la palabra *Democracia*, que interpretó en el sentido estrecho de protesta de los oprimidos contra los poderosos. Democrática se llamó la sociedad secreta que instituyeron los liberales para poder vivir dentro del mecanismo caciquil; y en su fundamento apareció con fines puramente benéficos, socorro de enfermos, heridos y valetudinarios. Debajo de la inscripción de los vecinos para remediar las miserias visibles se escondía otro alistamiento, cuyo fin era comprar armas, y no precisamente para jugar con ellas. Dividíase la sociedad en secciones de 25 hombres, que entre sí nombraban su jefe, secretario y tesorero. Los jefes de sección recibían las órdenes del presidente de la Junta Suprema, compuesta de 16 miembros. Esta Junta era soberana y sus resoluciones se acataban y obedecían por toda la comunidad sin discusión ni exámen.

Engranadas unas con otras las secciones, desde la ciudad se extendieron a las aldeas y a los remotos campos y cortijos, formando espesa red y un rosario secreto de combatientes engarzados en la autoridad omnímoda de la Junta Suprema.

–A todos los afiliados se imponía la obligación de poseer un arma de fuego. A los menesterosos que no pudiesen adquirir escopeta o trabuco, se les proporcionaba el arma por donación, a escote, entre los 25. Cada sección estaba, de añadidura, obligada a suscribirse a un diario democrático, que era regularmente *La Discusión* o *El Pueblo*... (505).

Oligarquía y caciquismo

Respecto a la difusión y propaganda se puede leer que:

–El número de afiliados creció prodigiosamente desde que comenzaron en la ciudad, y luego en cortijos y villorios, los solapados trabajos de propaganda. La iniciación se hacía en lugar secreto, que Ansúrez no pudo ver; allí se les leía la cartilla de sus obligaciones y se les tomaba juramento delante de un Cristo que para el caso sacaban de un armario (506).

También sobre los fines de dicha Sociedad que, sin ser ni mucho menos masónica, utilizaba cierta "disciplina" masónica, dirá que "en cuanto se creyó fuerte no quiso limitarse a la defensa ideológica de los derechos políticos". Y tras desenmascarar cuál era la política de la oligarquía caciquil (507), añadirá que "la poderosa Sociedad buscaba inspiración en la justicia ideal y en el sacro derecho al pan, y decretó la norma de jornales del campo, estableciendo la proporción entre éstos y el precio del trigo" (508).

Finalmente, y después de detallar una serie de acciones sobre las escalas de jornales, arrendamientos de campos, alquileres de viviendas, etc., entra de nuevo en escena el marino Ansúrez, "sorprendido y confuso" al oir hablar de "socialismo y comunismo, voces para él de un sentido enigmático que a brujería o arte diabólica le sonaban" (509).

El cuadro concluye con las primeras acciones violentas de la lucha (510) que el pueblo estaba llevando a cabo contra el feudalismo.

La escena es larga, gráfica, y al mismo tiempo expresiva de una situación concreta de la historia del naciente movimiento campesino español en su lucha por la libertad y la justicia. La mentalidad de Galdós, siempre tan próximo al pueblo, queda aquí bien patente y nos ofrece una magistral página de la historia de las ideas políticas en su paso progresivo del liberalismo a la democracia, llegando incluso a fórmulas socialistas y comunistas. Y en este tránsito, la masonería aparece como de telón de fondo, con una mera alusión que, sin pretender vincularla a ciertas actitudes socio-políticas, sin embargo, manifiesta una afinidad ideológica consciente con lo dicho de ella en episodios anteriores.

Afinidades ideológicas

En este sentido, después de hablar de Rafael Pérez del Alamo "inventor y artífice principal de aquel tinglado de la organización democrática y socialista" (511), pasa a hablar del reverendo Armijana (512), uno de los "buenos amigos" del tal Pérez del Alamo. El clérigo que sentía por la Sociedad "toda la simpatía compatible con la prudencia sacerdotal, viendo las cosas tan lanzadas a mayores y la revolución sacada de la obscuridad masónica a la luz de la realidad, echóse atrás el hombre, y no cesaba de pedir a Dios que devolviese la paz a los ciudadanos" (513).

Nueva alusión a la masonería referida también a los "métodos" masónicos de la clandestinidad, propios de toda sociedad perseguida por la legalidad vigente.

Los sucesos o "conjura democrática" de Loja estallaron a finales de 1861, trajeron como consecuencia la insurrección, huyeron los narvaístas ... "llevándose cuanto de valor poseían, y con ellos abandonaron la ciudad el Corregidor y las escasas fuerzas de Guardia Civil y Carabineros que allí tenía el Gobierno. De éste dijeron los moderados que todo era obra del masonismo, del protestantismo y de la marrullería de O'Donnell y Posada Herrera (514), en quienes el orden no era más que una máscara hipócrita para engañar al Trono y al Altar" (515).

Nuevamente aparece el fantasma de la masonería, unida en este caso al protestantismo –por cuanto que los masones protestantes de Inglaterra eran los que ayudaban a los españoles (516) como explicación argumental de hechos históricos que tenían motivaciones más simplistas.

En el desenlace de la insurrección de Loja todavía hay una nueva referencia al "estilo masónico", esta vez practicado por el jefe militar que mandaba las tropas que se encargaron de la represión de los insurrectos campesinos:

– Se dijo que Serrano (517) había llegado a última hora con instrucciones de lenidad, que practicó a estilo masónico, haciéndose el cieguecito y el sordo ante los grupos que huían de la plaza. Serrano era liberal, no debe esto olvidarse, y en Madrid mandaban un astuto y un escéptico, que se llamaban O'Donnell y Posada Herrera. Si hubiera estado el mango de la sartén en manos de Narváez, de fijo no queda un republicano comunista para contarlo (518).

V. PRIM Y LA MASONA DESCAMISADA

La acción de este episodio se centra en la defensa que hace Prim, en diciembre de 1862, ante el Senado, de sus intervenciones en la campaña de México. Dice Galdós que poblaron las tribunas del Senado damas elegantes aficionadas al torneo de la palabra. Y en especial se refieren a una –Teresa Villaescusa (519), mujer hermosa, muy conocida en Madrid por el carácter público de su liviandad, que no pudo asistir, a pesar suyo, pero que devoró el Diario de Sesiones:

–Era frenética española y neta castellana; había declarado la guerra al Imperio francés en el terreno de las cuchufletas y lanzaba toda su voluntad hacia las soluciones progresivas, sin saber lo que era, por simpatía innata de lo nuevo y vibrante, o por concomitancias del corazón con hombre de ideas radicales. En fin, que se declaraba masona y descamisada, diciendo con secreta presunción: "Amando las revoluciones somos las mujeres más bonitas" (520).

Masonería y revolución

Aquí el término masón –en este caso masona–, unido al de descamisado [a] es un mero recurso para significar una actitud ideológica. Masonería y revolución vuelven a estar unidos.

En otro contexto Galdós describe la casa de la "masona descamisada":

–En el tráfago de sus indagatorias, llevado, además, del gusto de la comidilla revolucionaria, fue a dar Clavería en la bonida, recatada y casi masónica vivienda de Teresa Villaescusa, donde buscaban cierta obscuridad para sus ideas y planes algunos progresistas de los llamados *de acción*, como Leal, Calvo Asensio, Muñiz, Montemar; los militares Moriones, Gaminde y Miláns del Bosch, y a veces los demócratas Figueras y García Ruiz (521).

Aquí volvemos a encontrarnos con tres términos que ya casi parecen sinónimos, a juzgar por la asociación que de ellos va haciendo Galdós en sus episodios: revolución, masonería y progresistas. Sin embargo, en este caso, el término masónico, aplicado a la vivienda de Teresa Villaescusa, está unido al de recatado (vivienda recatada y casi masónica), y apunta más a lugar discreto, reservado o circunspecto que a otra cosa, si bien es cierto que tales lugares son los aptos para la conspiración revolucionaria, aunque no sea éste el caso.

En otro capítulo del mismo episodio, refiriéndose Galdós al Ateneo de Madrid, dirá:

—Era la gran logia de la inteligencia, que había venido a desbancar las antiguas, ya desacreditadas, como generadoras de la acción iracunda, inconsciente. Por su carácter de cantón neutral o de templo libre y tolerante, donde cabían todos los dogmas filosóficos, literarios y científicos, fue llamado el Ateneo la *Holanda española*. En aquella Holanda se refugiaba la libre conciencia; lo demás del ser español quedaba fuera del vulgarísimo zaguán del 22 de la calle de la Montera (522).

Aquí es importante destacar no sólo la metáfora utilizada para designar al Ateneo, descrito como "logia de la inteligencia", sino la alusión a las antiguas logias ya desacreditadas, como generadoras de la acción iracunda e inconsciente.

Hacia 1862 la masonería española —a juicio de Galdós— ya no es lo que había sido a comienzos de siglo, con sus connotaciones de conspiraciones, revoluciones, liberalismo, etc., que son —como hemos visto— los tópicos con que casi siempre aparece envuelta en las múltiples alusiones de los episodios anteriores. Ahora apunta más bien hacia una libertad enmarcada no por acciones violentas, sino por la tolerancia y la neutralidad.

Sin embargo, unos capítulos después, al referirse Galdós a los intentos de pronunciamiento de Prim, en 1865, vuelve al tema de la conspiración como si se tratara de un recurso escenográfico insustituible:

– A su salida de Marsella tomó un sencillo disfraz para el momento del embarque, pues a bordo no lo necesitaba, hallándose en cordialísima inteligencia con el capitán francés, por *obra y gracia* del Grande Oriente Universal, del rito escocés... (523).

En el episodio que cierra esta tercera serie, *La de los tristes destinos*, en el que Galdós narra la caida de Isabel II, no hay ni una sola alusión a la masonería.

LA QUINTA SERIE DE LOS EPISODIOS

I. ESPAÑA SIN REY

La incompleta serie final solo consta de seis episodios y se abre con *España sin rey*, en el que los partidarios del duque de Montpensier (526) son motejados de "ateos y masones", siempre desde la óptica carlista que no deja de proclamarse la defensora de la fe y de la tradición.

El estilo masónico

En *España sin rey* las citas masónicas no son muy abundantes. Dos de ellas van referidas a la persona de don Wifredo de Romarete y Trapinedo (527), "bailío de nueve villas de la Real y Militar Orden de San Juan de Jerusalén", ligado estechamente a la causa carlista y presentado por Galdós como un personaje ridículo y pomposo, cincuentón enamorado platónicamente de Fernanda (528) (el personaje femenino central del relato), defensor de la honra de ésta, amenazada por los manejos donjuanescos de Juan de Urríes (529). Loco e idealista, especie de don Quijote, al igual que éste, desempolva sus armas y se dedica a la lectura de "peregrinas historias de aventuras y correrías maravillosas", intentando, sin éxito, deshacer entuertos, regenerar a la Africana o defender a Fernanda (530):

– De aquél local recóndito, con trazas de masónica sacristía, salió el acuerdo de que don Cristóbal de Pipaón (531) acudiera *incontinenti* a varios pueblos de la Mancha, donde era necesaria la presencia de varón tan calificado, y don Wifredo quedase en Madrid esperando instrucciones de carácter delicadamente internacional, las cuales le obligarían a visitar, con tapadillo impenetrable, las Cortes extranjeras (532).

***

– De aquel innoble desaguisado tenían la culpa la Enciclopedia, Voltaire, D'Alembert, Diderot (533) y toda la taifa precursora y actora de la infernal Revolución francesa... De aquella ciénaga desbordada venía la corrupción de las costumbres de esta pobre España. Por obra y gracia de los emigrados, portadores del vicio mental y de los masones y revolucionarios, puros monos de imitación, habían quedado estos reinos limpios y rasos de sus tradicionales virtudes. Apenas quedaban ya damas verdaderas; apenas teníamos hombres de honor. Urgía restaurar la patria, empezando por sus quebrantados cimientos... (534).

En ambas ocasiones se asocia el adjetivo masónico a intenciones ocultas, a secretos y misterios. Por ello y por el hecho de estar relacionadas con un personaje tan quijotesco es fácil pensar en una intención irónica de Galdós, que, sin duda, era consciente iba a provocar la sonrisa cómplice del lector que comprueba con regocijo cómo el adalid de la causa carlista se reune en locales "con traza de sacristía masónica" y emplea al hablar un tono de misterio al "estilo masónico".

Las restantes citas son juicios emitidos por los personajes carlistas contra sus oponentes políticos, muy en especial contra los seguidores del duque de Montpensier. Todas ellas, por lo tanto, son de carácter negativo. A veces se diluyen en fórmulas vagas que no permiten saber con precisión si la referencia va directamente contra los orleanistas o contra cualquier elemento progresista, al que, automáticamente, se descalifica con el título de masón:

– ¡Por Dios, don Juan, –murmuró con cierto misterio, estilo masónico–; esas cosas cuando se saben sin deber saberlas, se callan... (535).

***

–Necesitamos venir al combate armados de todas armas, y con pertrechos y material de guerra semejantes a los que traen nuestros enemigos. He aquí un adalid que con cuatro mandobles no tardará en merendarse a toda esta caterva de sofistas y desvergonzados masones (536).

***

–Absorto quedó Romerete con estas opiniones y noticias, y cuando rompió el silencio fue para decir que él había barruntado que las partidas carlistas de la Mancha y tierra de Burgos se alimentaban con dinero masónico (537).

***

– ¡Ah, Juanito! Ya me lo figuré en cuanto le ví a usted. Nos trae esta noche una cara terriblemente elegíaca. Vamos a ver: ¿qué ha resultado de la reunión masónica en El Escorial? ¿Fueron los amigos de Prim y de Sagasta (358)? ¿Consiguió éste hacerles entrar por el aro? ¡Ea!, no nos venga usted ahora con reservas y tapujitos. Descúbranos el lindo pastel (539).

***

—... Indudablemente, el ejemplar más castizo y picaresco de aquellos brotes insurreccionales fue el que la Historia designa con el epígrafe de "El cura de Alcabón". Era don Lucio Dueñas (540), según sus biógrafos, un clérigo chiquitín, casi enano, buen hombre en el fondo, pero tan fanático y cerril que perdía el sentido en cuanto el viento a sus orejas llevaba rumores de guerra carlista. Apenas se enteraba de que ateos y masones sacaban los pies de las alforjas, preparaba él las suyas llenándolas de víveres y cartuchos. Convocaba inmediatamente al vecindario del mísero pueblo de Alcabón, y entre mozos y viejos disponibles reclutaba una docena, o algo más, de gandules dispuestos a defender con su sangre y su vida la Unidad Católica y la Monarquía absoluta. Hecho esto y reunida su mesnada, que rara vez pasó de veinte hombres, echaba la llave a la Iglesia, cogía la escopeta, enjaezaba su rocín flaco y, ¡hala!, a pelear por Dios y por Carlos VII (541).

Los ejemplos son suficientemente ilustrativos

II. LA IRONIA GALDOSIANA

Ante la lectura de las escenas anteriores, y en especial de la del "cura de Alcabón", cabe preguntarse si Galdós solamente recoge y relata datos, o más bien los manipula, tomando postura ante el hecho masónico. En *España sin rey*, hemos visto que las citas aparecen generalmente en boca de los personajes carlistas, no en boca del narrador-autor, por tanto los juicios no tienen por qué ser compartidos, sino que se limitan a reflejar un ambiente. En un par de ocasiones en las que se oye la voz del narrador en términos semejantes a los de sus personajes, es evidente que esta voz sólo es un eco de la voz de éstos.

Galdós se presenta en apariencia como narrador imparcial y objetivo; y en realidad lo es, si bien en igual medida es un artista consumado en el uso de la ironía, muy en la línea cervantina, que le lleva a motejar de "masónico", aunque sólo sea en su estilo, a un personaje carlista, y a calificar también una de sus reuniones clandestinas, con la chocante, y, para los carlistas, hiriente asociación de "sacristía masónica".

Ironía que, por otro lado, también puede ser indicio de cierta simpatía, o cuando menos de la comprensión de Galdós hacia un grupo –los masones– al que una visión distorsionada, fanática y excesivamente simplista, iba a unir, en el sentir popular, con causas tan gratas al escritor como la corriente liberal, o la democrática y republicana.

III. ESPAÑA TRAGICA

En este episodio recoge Galdós el ambiente político español del año 1870. La elección del rey, el federalismo de las clases populares, la guerra franco-prusiana y el atentado de Prim, son los principales hechos históricos sobre los que teje los amores y desventuras del joven protagonista, Vicente Halconero y Ansúrez (542).

La masonería protagonista

Este episodio es abundante en citas relativas a la masonería. Da la impresión de que Galdós vuelve de nuevo a utilizar el tema con cierta profundidad en un momento histórico en el que las circunstancias eran más propicias a ello. Y la utilización va pareja a una fuerte crítica de las logias equiparadas en cierto sentido a los cafés, clubs y tabernas en los que el protagonista del episodio, el joven Vicente Halconero, se inicia en la vida social:

–Divagando por Madrid, de café en club, y de logia en taberna, a los dos amigos se agregaron otros, entre los cuales hallábase Vicente un tanto dislocado, pues todos eran la acción irreflexiva y él la teoría reservada y meticulosa (543).

Sin embargo las logias, instaladas en sótanos y desvanes, a pesar de su tradición por el misterio y pintoresca liturgia, estaban ya superadas, y en cierto modo sustituidas por el positivismo cooperativo. De ahí que Galdós las presente como "decaidas y amenazadas de muerte", pues pudiendo hablar y reunirse en lugares públicos y aun al aire libre, "para nada servía el tapujo en reuniones nocturnas y soterradas":

– Luego fue arrastrado a la visita de logias, en las que no se entraba sin cierto respeto, por la tradición del misterio y de la pintoresca liturgia que allí se gastaba. Cierto que las formas rituales habían decaido enormemente, y que las iba sustituyendo el positivismo cooperativo; pero aún quedaba solemnidad, y persistían los arrumacos y simbólicas garatusas. Visitó Halconero la Rosa Cruz, la Mantuana y tres más. Unas estaban instaladas en sótanos, otras en desvanes. Nada sacó en limpio de aquellas secretas asambleas el ilustrado joven, como no fuera el tenerlas por decaídas y amenazadas de muerte. Cuando todo podía decirse y concertarse en lugares públicos y aun al aire libre, para nada servía el tapujo en reuniones nocturnas y soterradas (544).

Pero, a pesar de su decadencia, "aun quedaba solemnidad" en las dos logias que menciona Galdós, y en las otras tres cuyo nombre silencia, aunque, por otro lado, califique sus "solemnes" rituales, de "arrumacos y simbólicas garatusas".

Aquí, al igual que ocurre con los personajes galdosianos, habría que distinguir entre logias históricas o reales, y logias de ficción. Por lo que respecta a la Mantuana, por esas fechas, según algunos historiadores, era la logia número uno del Grande Oriente de España.

La masonería, el pueblo y la Internacional

Como contraste con esa vida masónica todavía solemne, aunque ya en decadencia, está el juicio que de la masonería siguen teniendo algunos representantes del pueblo; juicio en el que se mezclan un cierto desprecio, y al mismo tiempo un no menos miedo frente al peligro masónico, que empalman nada menos que con la Internacional:

–En cuanto Lucila se enteró, por él mismo, de que se había dejado llevar a escondrijos masónicos, le reprendió con el templado enojo que emplear solía en la corrección de su amado hijo... Más severo que la madre fue el padrastro, don Angel Cordero (545), que apareció en el cuarto de Vicente con las manos en los bolsillos de su batín de moda, luciendo el pie pequeño, calzado con zapatilla de terciopelo rojo bordado de gualda, y en la cabeza, gorrete con borlón de seda, que de un lado pomposamente le caía.

–Tiene razón tu madre –dijo mediando en la conversación con sólido argumento–. Guardate de alternar con masones, y de oficiar con ellos en sus pantomimas extravagantes. Tu madre te ha señalado el peligro..., pero yo voy más allá; yo te digo: Vicente, si peligroso es el trato con los que, llamándose *maestros sublimes perfectos*, no son más que unos grandes tunos, pero es el roce con esos que se apodan *internacionalistas*..., ya los conocerás..., unos pajarracos extranjeros que andan por Madrid corrompiendo a nuestras honradas clases populares. Todos los crímenes políticos que hemos visto, obra fueron de la masonería. Los crímenes de mañana.., que vendrán, ¡ay!, si Dios no lo remedia..., deberemos atribuirlos a esa Internacional tenebrosa, que es la masonería de abajo. Yo veo en esa locura europea un aborto de la diabólica doctrina comunista... Pretende nada menos que poner patas arriba a la sociedad..., las patas arriba y las cabezas abajo; ya ves qué absurdo..., hacer tabla rasa de las instituciones fundamentales, destruir la propiedad, la familia misma... (546).

Este achacar crímenes políticos a la masonería refleja muy bien una mentalidad histórica, que en ciertos ambientes arraigaría muy hondo. Pero más curioso, como ya se insinuaba en la cita anterior al hablar del "positivismo cooperativo", es la correlación que estos personajes galdosianos establecen entre los masones y los internacionales, considerados como miembros de "otra" masonería, pues no deja de ser llamativo que la Internacional sea calificada de "masonería de abajo", y "aborto de la diabólica doctrina comunista".

Como contraste, y para dar una visión más compleja de los seguidores de la masonería, hablará Galdós de esa otra masonería, que empezó a funcionar cuando entraron a mandar los revolucionarios –"impíos y masones"–, y que tenía como finalidad el que las "aves negras" volvieran a sus "desiertos nidos":

–A esto añade el narrador que la más tallada y desagradable era Domiciana Paredes (547), hija de un cerero de la calle de Toledo, más que cincuentona, de historia compleja y un sí es no es dramática. Abrazó el monjío en el culminante período del valimiento de Sor Patrocinio (548), y la expulsaron del convento de Jesús por el delito de clavar un alfiler gordo en las nalgas de un señor obispo. Anduvo después en privadas intrigas y enjuagues palaciegos. Vivió en los altos de Palacio hasta que fue destronada doña Isabel, y cuando entraron a mandar los revolucionarios, según ella impíos y masones, dedicóse a la dulce masonería que en reservadas logias laboraba porque volvieran las aves negras a sus desiertos nidos (549).

Esta actitud de recelo ante la masonería quedará igualmente reflejada unos capítulos después en un pintoresco diálogo entre Segismundo y la monja Donata (550):

– Déjeme en paz –respondió la dama, tétrica por su obscura y pobre vestimenta, blanca y bella por su faz de Dolorosa compungida–. Ya le he dicho que no me siga, que no me ronde ni me hable en la calle, y menos en la iglesia... Es usted enfadoso, y trae consigo, aunque quiera disimilarlo, un olor de masonería, que apesta.

– No soy masón, Donata, ni lo es mi amigo, a quien con todo el respeto debido presento a usted... Vicente Halconero y Ansúrez, de familia noble y cristiana, niño sensato y puro, que por las noches y de mañanita reza el "Con Dios me acuesto, con Dios me levanto..." Si usted nos permite, le daremos escolta hasta su santa casa...

***

–Embustero, farsante, váyase con Dios, si con Dios pueden ir los masones.

–Hermana, ya le dije que me salí de la masonería y abominé de sus gatuperios infernales, porque usted así lo quiso. La bella Donata es mi redentora, y yo su hermano espiritual.

–Malos vientos corren para el masonismo, señor don

Segismundo. Ya ve usted lo que le ha pasado a ese pobre don Enrique. Pues esta tarde, en la Castellana mismamente, han apedreado a don Juan Prim. Parece que la descalabradura ha sido tremenda, y que entre cuatro le llevaron al Ministerio de la Guerra, dejando tras de sí un reguero de sangre (551).

IV. EL PRINCIPE D. ENRIQUE Y SU FUNERAL MASONICO

En este episodio uno de los temas relacionados con la masonería que más extensión tiene es el del príncipe D. Enrique de Borbón (552), nieto de Carlos IV, primo y cuñado de Isabel II, y uno de sus "desdeñados pretendientes", alto miembro de la masonería.

Después de su muerte en duelo con Montpensier (553) nos dirá Galdós que "la aristocracia, la Marina y altos políticos se abstuvieron de acudir al velatorio por no tener contacto con masones".

Pero antes, con rasgos típicamente galdosianos encontramos el historial nobiliario, progresista y masónico del susodicho príncipe:

– Los mortales despojos del Príncipe sin ventura evocaban memorias históricas, y ponían de relieve sus lazos de sangre con todas las personas de la familia que había cesado de reinar en septiembre del 68. Era primo y cuñado de Isabel II; tío carnal del niño Alfonso (554), que los fieles dinásticos habían traído a que reinara en sus corazones; primo hermano de la esposa de Montpensier, lanzado por la fatalidad a un lamentable fratricidio; primo de Montemolín (555), de don Juan de Borbón (556) y tío en segundo grado de Carlos VII (557). Fue desdeñado pretendiente de Isabel, por ésta preferido, preferido también por los progresistas; más rechazado por la Corte y las camarillas reaccionarias. De esta pugna y del desaire resultaron las llagas del corazón, las acritudes de carácter que habían de persistir en el resto de su vida como enfermedad crónica... Fue causa o pretexto de la revolución gallega, que terminó con los fusilamientos del Carral. Halagado por los del Progreso y admitido con júbilo en los senos masónicos, hizo profesión y gestos de liberalismo que disgustaron a su parentela. Sufrió persecuciones, destierros y desdenes, por lo que su impetuoso ánimo se lanzó a más peligrosas inquietudes. Era hidalgo, valiente, liberal, amante de sus hijos, amante del aura popular. Su historia, desde el 46, en que los vientos de la opinión jugaron con su nombre ilustre, hasta que murió en una tragedia doméstica, fue agitada y borrascosa, vida de rebeldía constante, de querella irreductible entre la realeza y la popularidad (558).

Esta su contradicción vital de verse entre la realeza y la popularidad, entre la monarquía y el liberalismo republicano, tiene como punto de conexión la masonería:

—Vivía sólo y aislado en su caserón frío de la Costanilla, donde le visitaban republicanos de los más rabiosos, muchos de ellos afiliados a la masonería (559).

Como introducción, entre irónica y despectiva, a los actos masónicos que rodearon la muerte del infante don Enrique, pueden servir estas palabras de la monja Donata:

—En el recogimiento de la iglesia sabemos nosotras todo lo que ocurre —replicó la *Ecuménica* con vaga petulancia—, y no aletea en Madrid una mosca sin que el zumbidito llegue a la capilla, a la sacristía o al confesonario... Y digo más... digo que aún de diabluras y francachelas masónicas sabemos más que ustedes, los que se pasan la vida ganduleando en calles y cafés... De seguro no saben que esta noche hay gran jolgorio y aquelarre solemne en esa casa donde está de cuerpo presente el pobre señor a quien dio muerte Montpensier, otro que tal... Pues en presencia del propio Infante difunto y condenado, habrá zarabanda con salterio, brindis con cítara o bandurria, y todas las escandalosas ceremonias que usan esos protervos para ofender a Dios (560).

Los calificativos dados a las "escandalosas ceremonias masónicas" no pueden ser más expresivos: diabluras, francachelas, jolgorios, aquelarres, zarabandas con salterios, brindis con cítara o bandurria...; y por si fuera poco, los masones serán equiparados a "protervos" que ofenden a Dios.

Ante esta simplista, pero elocuente, visión monjil de los masones y de la masonería, protestará el interlocutor con humilde impotencia:

–No nos condenaremos. Usted se salva y a mí me salvará de mis tormentos temporales, peores que los eternos. Sea usted benigna, Donata, y no vea en mí un tipo vicioso, ni un incrédulo enemigo de Dios, ni menos un masón corrupto... (561).

Crítica antimasónica

La crítica antimasónica, o mejor dicho, la descripción irónica de sus actividades no es, en este episodio, patrimonio exclusivo de la monja Donata, sino también de sus discípulos los "Donados":

–Vicente amigo –dijo Segismundo revistiendo de solemnidad su intención picaresca–, penetra sin miedo en esa casa impía, para que veas y aquilates y puedas contarnos todas las borricadas que hagan esta noche los de la *Acacia*, con triángulo y garatusas. En esta plazoleta te esperaré, después de platicar un ratito con mi redentora dentro de la iglesia de mis amigos los Donados, pues *donado* quiero ser y a la santa fundación entregarme con bienes y persona (562).

A continuación Galdós nos hace una expresiva descripción de cómo imaginó él la ceremonia fúnebre:

–En el portal le salió al encuentro su ámigo Roque Barcia (563), y a él se agregó para entrar y subir como por su casa. En la escalera vio a dos o tres señores vestidos con anticuadas levitas, encasquetado el sombrero de copa (de la moda del año 40), ceñidos de bandas, con el deslucido adorno de un mandil que del pecho hasta más abajo de la cintura les colgaba... En la antesala encontró a Luis Blanc (564), el cual se lamentaba de que no asistiesen a velar o siquiera visitar al ilustre difunto los personajes de primera fila, pertenecientes a la Orden.

–Ya ves: no ha venido, ni vendrá, don Juan Prim, que tiene el grado 33 en el *Oriente de Escocia* (565); ni Sagasta (566), que ahora quiere ver olvidada su historia masónica.

–En el salón contempló el cuerpo del Infante en cama imperial de la Sacramental de San Isidro, vestido de vicealmirante. En la cabecera se veía el escudo con las armas reales, y debajo de éste un paño bordado con signos diversos, descollando en el adorno el número 33 en letras de oro. El cadáver estaba colocado en la línea de Oriente a Occidente, y en los cuatro ángulos de la cama hacían guardia otros tantos individuos con bandas y mandil, empuñando la espada. Parecían estatuas, o más bien maniquíes, vestidos de levitones demasiado anchos, o de casaquines que reventaban de estrechos. En los relucientes aceros advirtió Segismundo todas las variedades arqueológicas. Alguno era ondulado, como el que le ponen al Arcángel vencedor de Satanás, y otros procedían sin duda de las panoplias de Zorobabel, o de Ciro rey de Persia (567).

La alusión a algunos políticos del momento no es ociosa en el caso de Prim, grado 33, y de Sagasta, quien –según Galdós– quería ver olvidado su historial masónico. Resulta curioso que, sin embargo, no mencione a Ruiz Zorrilla (568) quien por esas fechas era Gran Comendador y Gran Maestre, y sin embargo nos presente un Sagasta avergonzado de su pasado masónico, siendo así que unos años después, en 1876, sería proclamado Gran Maestre.

Como contrapartida, y una vez descrita la pobreza del mueblaje de la casa del príncipe Don Enrique, el difunto recibe, como de pasada, un sincero elogio:

–Todo cuanto allí se veía daba testimonio de la honrada escasez en que había vivido el infortunado Príncipe, que no quiso doblegarse ante su Real parentela. Digno era de respeto, de tanto respeto como lástima, y su cadáver merecía del pueblo y de los grandes más altos honores (569).

La ausencia de ciertas "entidades políticas, militares y aristocráticas" la justifica Galdós, disfrazado de narrador, señalando un posible temor al ridículo que la "guardarropía masónica" inspiraba, y que había convertido el funeral del Infante patriota en una "mala comedia para niños y criadas de servir":

–Pasó Segismundo a otras salas y gabinete; en uno de éstos halló individuos de filiación ministerial en la política militante. Alguno se aventuró a sostener que no había derecho para sacar a relucir la guardarropía masónica en aquel acto.

–Por estas tontunas –dijo Ricardo Muñiz (570) poniendo cátedra de discrección– se han alejado de la casa mortuoria las entidades políticas de más viso. Por no *hacer el oso*, se abstiene la Marina, que hoy se llama *Almirantazgo* y esto es lo más grave, pues don Enrique de Borbón era, si no me equivoco, vicealmirante. La clase aristocrática, que habría sido el mejor ornamento de las honras fúnebres, también brilla por su ausencia, y henos aquí deseando tributar nuestros homenajes a este gran patriota de sangre Real, y temerosos de caer en el ridículo.

–En otro grupo halló Segismundo al joven Halconero, y juntos se internaron de sala en sala, huroneando en la fría y desamparada mansión. En una estancia de las más recónditas, próxima a la cocina, vieron *al Carbonerín* y a Romualdo Cantera (*el Cojo de las Peñuelas*) (571), con uniforme de milicianos; a otros dos de la misma vitola, y a tres de los de levitón, mandil y banda de colorines. Habían mandado traer vino y cerveza del Café de Santo Domingo, y estaban *refrescando*, o haciendo *salvas*, según el vocabulario masónico. Excitado por la bebida, *Carbonerín* despotricó agriamente contra los del triángulo, que con sus artilugios habían hecho del funeral del Infante patriota una mala comedia para niños y criadas de servir. Si él y sus colegas de la Milicia se hubieran encargado de organizar la manifestación de luto, *formando* en el entierro, el día siguiente sería sonado en Madrid... Confirmó y acentuó estas opiniones Cantera, diciendo:

–Dennos el cadáver, y yo aseguro que las honras no acabarán en el camposanto. ¿Qué mejor responso para este señor que un toque de *Libertad y Abajo el Gobierno*?

–Los del mandil respondían, con cierta gravedad sacerdotal, que el acto debía tener carácter religioso, y ellos a este criterio elevado se ajustaban, entendiendo que lo litúrgico no quitaba lo revolucionario, antes bien, cada uno de los ritos masónicos simbolizaba la destrucción del templo de la farsa para construir el de la verdad.

–No interesaban a los dos amigos estas vanas altercaciones, y desfilaron llevándose a Cantera... (572).

Las reflexiones finales a propósito de la liturgia masónica, interpretada por los "colegas de la Milicia" de forma revolucionaria, sirve de contraste a la derrotista y ridiculizadora descripción que Galdós hace del funeral masónico del infante Don Enrique.

Entierro masónico con problemas

La técnica utilizada por Galdós en el asunto del infante Don Enrique consiste en establecer contrapunto entre un narrador dotado de una acerada ironía, y los comentarios de la monja Donata y sus fieles seguidores, donde la imaginación linda con lo grotesco, y donde los pueriles tópicos y creencias populares respecto a la masonería alcanzan categoría de dogma de fe:

– Para sosegarla afirmó el tuno [Segismundo] que los ojos inquisitoriales de Domiciana no llegarían a la escondida calle donde a la sazón se hallaban los tres. A lo que respondió Donata que la maestra, como virgen y exenta de pecados, poseía un saber prodigioso y cierta divina inspiración que le permitía ver lo distante, y penetrar en el porvenir obscuro.

–Esta noche –añadió– nos ha causado un miedo espantoso con su flujo de adivinación. Al través de las paredes de la casa del infelicísimo don Enrique, ha visto los horribles actos sacrílegos de los masones, y ha oido sus blasfemias, burlas y rugidos infernales. Luego nos ha dicho que en este año se han de ver los efectos de la grande ira del Altísimo por los ultrajes que se le hacen en esta nación perdida y en otras (573).

Y poco después prosigue el diálogo entre Segismundo y Donata en estos apocalípticos términos:

– Si es usted razonable, Segismundo, –dijo la negra dama *Dolorosa* abandonando sus dedos inertes en la cálida mano del joven–, seguiré estimándole; no le diré que ponga punto en la esperanza. Adiós; una cosa les recomiendo al despedirles: que no vayan mañana al entierro de ese Príncipe masón. Habrá palos, correrá la sangre de culpables y de inocentes... Domiciana lo ha dicho... Sangre inocente es la que lava... Adiós pollos alocados, adiós (574).

Los presagios monjiles de alborotos sangrientos con ocasión del entierro del Príncipe masón coinciden en el relato con los vaticinios camorristas de los profesionales en esas lides, que tal vez hoy día calificaría Galdós de "incontrolados", en lugar del "bando de la Porra":

– En el café se econtraron [Segismundo y Vicente] a Felipe Ducazcal (575), que también allí cenaba con algunos amigos militantes en el famoso bando de la *Porra*. Y el capitán de ésta, coincidiendo con la *Ecuménica*, vaticinó que en el entierro menudearían los palos, por causa del metimiento de los masones en acto tan serio.

***

–Lo demás que hablaron Segismundo y Halconero en la ociosa compañía de los *cachiporros*, perdióse en el vago aire de las tertulias cafeteras (576).

A continuación Galdós describe el entierro del Infante en estos términos:

– Al día siguiente, lunes 14 de marzo, encontramos a nuestro amigo Vicente en la casa del Infante, esperando la salida del entierro. Sobre el ataúd cerrado se había puesto un crucifijo de bronce, el sombrero y la espada del vicealmirante; los emblemas masónicos habían desaparecido. En marcha se puso la fúnebre procesión... El día era ventoso y claro. En la calle no faltaba gentío popular; coches de lujo había muy pocos; personajes de viso, tan sólo el duque de Sesa, el hijo de Güel (577) y el Capellán de las Descalzas, que presidían. Uniformes de Marina no se veían por ninguna parte; altos funcionarios tampoco. Algunos respetables sujetos de la masonería salieron con bandas y mandiles; pero pronto hubieron de quitárselos y esconderlos, obedientes a un mugido del pueblo acentuado por las mujeres. Contó Segismundo que una desaforada hembra de Lavapiés había gritado:

– Que se metan el faldón de la camisa.

– Por entre ringleras de curiosos iba la negra carroza, paseando su desairado acompañamiento, que era en verdad bien pobre para difunto de estirpe tan alta. Lo que llamamos mundo oficial se había quedado en sus cómodas oficinas, la Grandeza en sus palacios, los caballeros de la Armada en el pontón anclado en calles que llamamos Ministerio de Marina, el Ejército en Buenavista, la Milicia Nacional en sus ociosidades bullangueras, las Autoridades embozadas en sí mismas, y los ricos, que colectivamente designamos con el nombre de alta banca, retraidos en el sagrado de su cuenta y razón. El pueblo solo asistía, melancólico, desorientado y sin arranque, en masas no muy nutridas, pues no se le había preparado para el acto. La sociedad revolucionaria que en aquel año imperaba, se mantuvo perpleja y muda, asustada de los arrumacos masónicos. Era tarda en formar criterio; su cerebro hallábase atarugado con las mareantes disputas por los candidatos al trono, y con el más enconado litigio de la forma de Gobierno. El mundo aquel de la Interinidad había caído en honda modorra, congestionado por sus pasiones furibundas. No hacía más que rumiar sus ideas, como buey soñoliento (578).

La crítica por la ausencia de las autoridades civiles y militares, así como de la alta sociedad, se da de mano con la de los acompañantes masones que tuvieron que retirar sus emblemas, y a la del pueblo que asistía desorientado y asustado de los "arrumacos masónicos".

Pero si en las exequias del príncipe de Borbón –dirá Galdós– "faltó la militar pompa y enmudecieron los cañones y fusiles, en cambio estalló ruidosa tempestad popular con truenos y relámpagos oratorios". Uno de estos oradores tras aludir al significado de la presencia del pueblo en aquel sacrosanto lugar, que no era otro que el respeto a un español muerto de un modo misterioso, cuando ya estaba elegido presidente de la República", y recomendar orden para que no "vengan diciendo que somos la demagogia, que somos el libertinaje...", concluye el capítulo con nuevas alusiones a la masonería:

– A pesar de la sensata indicación del orador, el pueblo no se retiraba con la debida compostura, ni cesó el relampagueo de protestas y tronicio de aislados discursos. Del tronco de un árbol caido hizo púlpito un imberbe mozo, y emprendió con voz fogosa y ademanes epilépticos el panegírico de la santa Masonería. Alelados le oían hombres y mujeres, y él se arrancó con este atrevido pensamiento:

– Pío IX se tiene aún por francmasón, aunque hace tiempo se le borró de los cuadros jerárquicos de la Orden, por considerar al Rey de Roma incompatible con la fraternidad humana. ¿De qué os asombráis? ¿Por qué abrís con estupor de ignorancia vuestras bocas? Meditad en lo que digo, y la razón entrará en vuestros obscuros entendimientos.

No me miréis con ojos atónitos. Sobre las aguas turbias de la ignorancia flota la verdad... Si buscáis a Dios en el fanatismo sacerdotal, nunca le encontraréis ... Buscadle en las almas sencillas de los que sufren, de los que lloran... Vuelvo a deciros que Pío IX es fracmasón. ¿Y por qué no ha de ser francmasón el llamado Papa, habiéndolo sido nuestro padre Adán, Moisés y el mismo Jesucristo, Hijo de Dios, que extrajo de los libros masónicos todo lo bueno que encontramos en los Evangelios?... (579).

La insistencia en la masonería de Pío IX resulta tanto más irónica cuanto que recoge igualmente la leyenda, tan querida a ciertos autores masones, según la cual se remontarían los orígenes de la Orden a Adán, Moisés... etc.

El asesinato del hermano Prim

Todavía hay dos breves pasajes en el episodio *España trágica*, situados en dos capítulos tan distantes como el 13 y el 22, en los que –como de pasada– Galdós desdibuja su actitud hacia la masonería, rechazada tanto por las clases sociales acomadadas, como por las populares democráticas:

– Ibero y don Fernando, tocando la tecla política, pidieron a Vicente noticias del mundo plebeyo, federal y masónico que frecuentaba dándole a entender delicadamente que en tal sociedad no hallaría nunca su ambiente propio un espíritu cultivado.

***

– Yo fuí *libresco*; pero hace tiempo que me volví *humanesco*; he pulsado la vida, y mis libros son el pueblo. ¿Quieres instruirte en mi biblioteca? Pues vente a menudo acá, no de día, sino de noche, que nocturno es el culto de la

Demagogia. No verás aquí masones con embeleco sacerdotal, sino hombres bien bragados con trabuco... (580).

Sin embargo esta forma de pensar que Galdós hace compartir a algunos de sus personajes de ficción –como reflejo de la actitud de ciertos sectores de la sociedad–, tiene como contrapunto la presencia en la masonería de altos cargos del Gobierno de la época, cuando España estaba esperando la llegada de su nuevo rey:

– En el curso de la discusión, dilatada y sin relieve, no pocos amigos se acercaron al banco azul a saludar al Presidente del Consejo. En el propio sitio sostuvo con éste una larga conversación Ricardo Muñiz. Díjole que aquel día, 27 de diciembre, banqueteaban los masones en memoria de San Juan Evangelista. ¿Qué tenía que ver el santo Apóstol con los *caballeros de la Acacia*? Nada. La Masonería se congregaba en fiesta solemne dos veces al año: solsticio de verano y solsticio de invierno, San Juan Bautista y San Juan Evangelista. El *ágape* de aquel invierno se celebraba en el Hotel de las Cuatro Naciones, calle del Arenal.

–Prim había ingresado recientemente en el *Gran Oriente Nacional de España*. Diéronle el cargo de *Portaestandarte del Supremo Consejo de la Orden*. Su grado era el 18, con título de *Caballero Rosa Cruz*. Al darle cuenta de la solemnidad masónica de aquel día, Muñiz le encareció la necesidad de honrarla con su presencia. Prim se mostró indolente, poco propicio a conceder a tales comedias el poco tiempo de que disponía.

– Fíjese, Ricardo, en que necesito algún reposo. Llevo una vida que no es para llegar a viejo. Mañana sin falta saldré para Cartagena a recibir al Rey, que ayer partió de Génova. En el Ministerio tengo mil asuntos que debo despachar entre esta noche y mañana. Vaya usted al banquete; discúlpeme con estas razones, y con otras que a usted se le ocurrirán...

– Insistió Muñiz en que fuese, aunque su visita no durara más que algunos minutos. La asistencia del grande hombre sería muy grata, etc. En esto quedaron, y poco después se levantó la sesión. La lista civil fue aprobada por 115 votos contra 8. Para todos fue como el despertar de un mal sueño, y en Prim se pudo advertir la sensación de un descanso inefable (581).

***

–... Algunas palabras cambió con Morayta (582), excusándose nuevamente de asistir al banquete masónico... (583)

La masonería y la política

La escena es importante por cuanto hace intervenir en ella a una serie de políticos, como Prim "recientemente ingresado en el Gran Oriente Nacional de España", a Morayta que años más tarde sería su Gran Maestre, a Ricardo Muñiz...

Sin embargo, a pesar de la referencia masónica del Presidente del Consejo de ministros, tampoco esta vez alude a la masonería del Presidente del Gobierno en esas fechas, Manuel Ruiz Zorrilla, que era Gran Comendador y Gran Maestre del Grande Oriente de España. ¿A qué se debe esta omisión de Galdós? ¿Intereses políticos? ¿Compromisos de silencio...?

Es cierto que el Gran Oriente Nacional de Prim, y el Gran Oriente de España de Ruiz Zorrilla, eran cordiales rivales, pero también es cierto que la masonería, superando rivalidades de obediencias solía tener sus días de "tregua" fraternal, y uno de ellos era precisamente aquel 27 de diciembre de 1870, festividad de San Juan Evangelista, en el que la masonería en general, al margen de obediencias distintas, se congregaba en solemne fiesta para banquetear el solsticio de invierno.

No obstante da la impresión de que Galdós no quiere diluir la atención del lector, centrada en la figura de Prim y en su inmediato asesinato:

– Lentamente recobró sus fueros el método normal... Y a cada instante llegaban amigos, según se iban enterando del grave suceso. Uno de los primeros fue Muñiz, que había ido a la fonda de la calle del Arenal, donde se celebraba en santa paz el convite masónico. Presidía el *ágape* don Clemente Fernández Elías (584), y el ritual de la Orden escrupulosamente se observaba en todos los pormenores del festín, así en la disposición de las mesas, como en el detalle de colocarse los comensales las servilletas en el hombro izquierdo. Primero Muñiz, luego Morayta, dieron cuenta de la bien motivada abstención del General, lo que desconsoló a todos; y aunque ambos dejaron entrever la posibilidad de que el *Caballero Rosa Cruz* asistiese por breves minutos, nadie esperaba verle aquella noche. Ya habían empezado las *salvas*, cuando entró un militar masón y habló al oído del *Venerable* Presidente. Este palideció. Diríase que su estupor le privaba del uso de la palabra... Una onda de ansiedad suspicaz corrió de mesa en mesa. El señor Elías escribió algo en un papel, y alargó éste a los comensales más próximos. Cuantos leían, quedaban suspensos y aterrados, y la general incertidumbre aumentaba. Por fin, el *Venerable*, sacando fuerzas de flaqueza, se puso en pie, y con voz de intenso duelo pronunció estas palabras:

– Hermanos...; imposible callar. No puedo ni debo ocultaros la verdad terrible. El Hermano Prim ha sido asesinado.

— Levantáronse todos de golpe, como a impulso de una sacudida telúrica, y confundidos el lamento y la protesta, los elementales sentimientos humanos ahogaron el sentido masónico que a tanta gente congregaba. Se acabaron las *salvas*; la *pólvora* quedó en los *cañones* o vasos ociosos. Todos mostraban honda pena, y los militares, que no eran pocos, añadían a la pena, la ira y el deseo de venganza. La dispersión fue instantánea. Los más acudieron a Buenavista (585).

Nuevamente es sintomática la adjudicación de la presidencia del banquete al Venerable don Clemente Fernández Elías, por encima de otras jerarquías masónicas ausentes.

Los ritos masónicos

Por otro lado, y al margen de la importancia de la escena, la utilización de una serie de términos masónicos, de los que Galdós ya hizo gala en su episodio *El Grande Oriente*, nos vuelve a recordar su serio conocimiento del ritual masónico que, en este caso, "se había observado escrupulosamente en todos los pormenores del festín, así en la disposición de las mesas, como en el detalle de colocarse los comensales las servilletas en el hombro izquierdo".

Otro tanto habría que decir de la escena del velatorio del infante don Enrique de Borbón, en la que, después de decir que en la cabecera del ataud se veía el escudo con las armas reales, añade que debajo de éste se encontraba "un paño bordado con signos diversos, descollando en el adorno el número 33 en letras de oro". Por otra parte "el cadáver estaba colocado en la línea de Oriente a Occidente, y en los cuatro ángulos de la cama hacían guardia otros tantos individuos con bandas y mandil, empuñando la espada..." (586).

Sin embargo Galdós no puede menos, a pesar de la solemnidad de la escena, de aludir más o menos sardónicamente a las "salvas", la "pólvora" y los "cañones", términos utilizados por los masones en sus banquetes para designar los brindis.

Galdós entre la ironía y la información

En cualquier caso y a modo de síntesis final del episodio los calificativos que Galdós –bien en forma de narrador, bien a través de sus protagonistas– dedica a los ritos masónicos son no solo despectivos, sino sarcásticos: "pintoresca liturgia", "arrumacos y simbólicas garatusas", "pantomimas extravagantes", "borricadas", "diabluras y francachelas masónicas", "mala comedia para niños y criadas de servir", etc. etc. Los términos en los que más incide son "arrumacos masónicos", "garatusas" y "comedias".

Por si fuera poco, en un momento dado Galdós se expresará, en cuanto narrador, diciendo que "aquellas asambleas secretas" estaban "decaidas y amenazadas de muerte", pues cuando todo podía decirse y concertarse en lugares públicos, y aún al aire libre, para nada servía "el tapujo en reuniones nocturnas y soterradas".

Para don Angel Cordero los masones son "grandes tunos". Según él, todos los grandes crímenes obra fueron de la masonería. Llega incluso a calificar al comunismo de masonería de abajo.

Por su parte el general Ibero pregunta a Vicente Halconero por el "mundo plebeyo, federal y masónico que frecuentaba", y le asegura que "en tal sociedad no hallaría nunca su ambiente propio de un espíritu cultivado".

Cuando Segismundo, amigo de Halconero, le invita a visitar por la noche las tabernas donde se conspira, le dirá: "No verás aquí masones con embeleco sacerdotal, sino hombres bien bragados con trabuco...".

Durante el entierro del infante don Enrique, algunos

personajes de la masonería que habían acudido con levita, banda y mandil, serán abucheados por el pueblo, y "una desaforada hembra de Lavapiés" les gritará: "Que se metan el faldón de la camisa".

La monja Domiciana llama impíos y masones a los revolucionarios de 1868.

La monja Donata, refiriéndose a Segismundo, después de decirle que "trae un olor a Masonería que apesta", le echará diciendo: "Váyase con Dios, si con Dios pueden ir los masones".

El propio Segismundo reconciliado con la susodicha Donata dirá: "Me salí de la masonería y abominé de sus gatuperios infernales...". "No vea en mí un tipo vicioso, ni un incrédulo enemigo de Dios, ni menos un masón corrupto...".

El único aspecto que pudiera parecer positivo, cuando en realidad es tan sarcástico como los anteriores, corresponde a la escena que sigue al entierro del infante don Enrique, cuando algunos oradores espontáneos se dirigieron a la multitud, y uno de ellos hizo el panegírico de "la santa Masonería", y cataloga de masones a Pío IX, Adán, Moisés y Jesucristo.

Sin embargo, en otro orden de cosas, Galdós reconoce que la masonería estaba suficientemente extendida, y contaba en su seno a miembros de la aristocracia, como el citado príncipe don Enrique de Borbón, grado 33, si bien –dirá– "constituía una excepción entre la aristocracia del país".

La presencia de la masonería en el ejército es otro de los aspectos que se deducen del episodio *España trágica*, en el que Galdós deja constancia de que la masonería estaba muy extendida entre los militares, pues aparte del príncipe don Enrique de Borbón, que ostentaba el grado de vicealmirante, y del general Prim, cuando Galdós relata precisamente el atentado de la calle del Turco, refiere que fué "un militar masón" quien llevó la noticia al banquete del Hotel de las Cuatro Naciones; y conocido el suceso, todos mostraron honda pena, en especial "los militares, que no eran pocos...".

Además de la aristocracia y del ejército, también se extendían los hijos de la viuda al estamento de los políticos activos: Sagasta, que "quería ver olvidada su historia masónica"; Don Juan Prim, que ya era grado 33 en el "Gran Oriente de Escocia", si bien había ingresado recientemente en el "Gran Oriente Nacional", con grado 18, título de caballero Rosa Cruz, y cargo de Portaestandarte del Supremo Consejo de la Orden; los diputados Morayta y Muñiz; el político Luis Blanc..., todos ellos personajes históricos.

Finalmente también hay un recuerdo a los republicanos "muchos de ellos afiliados a la masonería", fieles amigos del infante don Enrique, antes y después de su muerte, como deja constancia Galdós al describir el entierro del infante masón.

V. AMADEO I

Después de *España trágica* en donde no cabe duda que la masonería llega a cobrar una relativa importancia, cabía la esperanza de que en *Amadeo I* siguiera Galdós la misma tónica aportándonos datos de cierto interés relativos al tema masónico. Pero conforme va avanzando el episodio la decepción es mayor, ya que las alusiones a dicha sociedad secreta escasean ya a partir del capítulo segundo. A pesar de todo, lo dicho en especial en el primer capítulo tiene gran relieve.

El episodio se abre con la entrada en Madrid, el 2 de

enero de 1871, de Don Amadeo I (587). La víspera fallecía el general Prim, víctima del atentado de la calle del Turco.

¿Galdós protagonista?

El protagonista y narrador de los sucesos acaecidos en este episodio, es decir, durante los dos años escasos que duró el reinado de Amadeo I, es un sujeto inquieto, que conoce la historia con todo detalle, y casi podríamos calificarlo de representante personal de Pérez Galdós.

En este episodio, que hace el número 43 de la serie total, a diferencia de los anteriores, hay un par de escenas en las que da la impresión de que es el propio Galdós el que interviene en la acción, como testigo de excepción de lo que narra. Ya en el capítulo primero cuando describe a los cinco amigos que estaban presenciando la solemne entrada en Madrid de su nuevo rey Amadeo I, después de citar a los tres primeros (588), dice:

– Los dos restantes, inferiores sin duda en edad, saber y gobierno, nos habíamos conocido y tratado en una casa de huéspedes donde juntos hacíamos vida estudiantil. El era *guanche* y yo *celtíbero*, quiere decir que él nació en una isla de las que llaman adyacentes; yo, en la falda de los Montes de Oca, tierra de *los Pelendones*; él despuntaba por la literatura; no sé si en aquellas calendas había dado al público algún libro; años adelante lanzó más de uno, de materia y finalidad patrióticas, contando guerras, disturbios y casos públicos y particulares que vienen a ser como toques o bosquejos fugaces del carácter nacional. A mí también me da el naipe por las letras; pero carezco de la perseverancia que a mi amigo le sobra. Ambos, en la época que llamaré *amadeísta*, matábamos el tiempo y engañábamos las ilusiones haciendo periodismo, excelente aprendizaje para mayores empresas (589).

Está claro que el *guanche* es el propio Galdós (590), no solo por la clara alusión a las primeras novelas de los Episodios Nacionales, sino también porque además por esos años de 1869-1873 Galdós se dedicó en Madrid también al periodismo. En 1869 pertenecía a la redacción de *Las Cortes*, periódico que acababa de fundar Aníbal Alvarez Osorio. Era el encargado de las reseñas parlamentarias. En 1870, su gran amigo José Ferras (591) le presentó a Albareda (592), propietario de la *Revista de España*, donde Galdós publicó artículos de crítica literaria y, en folletón, sus primeras novelas –*La sombra, El audaz*–, que luego imprimió y publicó aparte. En 1871, el mismo Albareda fundó *El Debate* en el que Galdós también colaboró asiduamente.

Al final del capítulo quinto los dos amigos, el *guanche* y el *celtíbero*, vuelven a encontrarse en la Puerta del Sol, "treinta y siete años justos del día en que tomó el portante don Amadeo de Saboya...:

– Yo, lejos de aumentar, había menguado de talla; los pelos que me quedaban eran hebras de plata, y rostro y cuerpo mostraban lastimosamente los zarandeos del tiempo. Mi amigo no llevaba mal sus años maduros, y su rostro alegre y su decir reposado me declaraban mayor contento de la vida que el que yo tenía. Hablamos de trabajos y publicaciones; díjele yo que había leído las suyas, y él, replicándome que algo le quedaba por hacer, saltó con esta idea, que a las pocas palabras se convirtió en proposición:

– Una promesa indiscreta oblígame a escribir algo de aquel reinadillo de don Amadeo, que sólo duró dos años y treinta y nueve días. Tú y yo vimos y entendimos lo que pasó y lo que dejó de pasar entonces. Tu memoria es excelente; sabes contar con amenidad los sucesos públicos. Hazme ese libro, y con ello quedará saldada la deuda de caridad que tienes conmigo. Puedes observar el método que quieras, ateniéndote a la cronología en lo culminante y zafándote de ella en los casos privados, aunque éstos, a veces, llegan al fondo de la verdad más que llegan los públicos. Puedes entreverar entre col y col la lechuga de tus conquistas; ya sé que han sido innumerables, algunas acometidas y consumadas con temerario atrevimiento y dramáticos peligros...

– Díme pronto si aceptas, para cerrar trato contigo, o buscar otro plumífero con quien pueda entenderme para sacar al mundo la vaga historia de Amadeo I.

–Vacilé un instante, mirando al cielo y a los tranvías que de un lado a otro pasaban, y acepté, y con un apretón de manos sellamos nuestro compromiso (593).

En el supuesto de que el *guanche* en cuestión sea el propio Galdós, éste tendría entonces –es decir cuando Amadeo renunció al trono de España después de dos años de inútiles tentativas, o si se prefiere "cuando tomó el portante"–, 67 años, como efectivamente así era. Galdós había nacido en 1843, y tenía por lo tanto treinta años en 1873. Lógicamente 37 años después –que es cuando se sitúa el diálogo en cuestión– alcanzaba la edad de 67 años. Y lo curioso es que Galdós escribió este episodio en 1910, es decir a la edad de 67 años.

Por si esto fuera poco todavía podemos leer a comienzos del capítulo sexto:

– Y ya que sabéis la razón de que yo escribiese lo que estáis leyendo, añadiré, para mayor claridad de este negocio, que el isleño me autorizó a contar la Historia como testigo de ella, figurándome en algunos pasajes, no sólo como presenciador, sino como lo que en literatura llamamos héroe o protagonista. A mi observación de que yo tendía por temperamento y volubilidad natural a la mudanza de opinión y a variar mi carácter y estilo conforme a la ocasión y lugar en que la fatalidad me ponía, contestó que esto no le importaba, y que la variedad de mis posturas o disfraces darían más encanto a la obra (594).

Tras estas explicaciones, nos dirá el narrador de turno del episodio en cuestión que "continúa su cuento".

Lo que sí parece quedar claro es que Galdós –el guanche, el isleño–, que "autorizó a su amigo a contar la Historia como testigo de ella", se desdobla en dos personalidades, la del guanche y la del celtíbero, pues es la misma persona la que encarga y la que describe el reinado de Amadeo I, o si prefiere el episodio tercero de la serie final.

Respecto al método utilizado, y a la apetencia que el "narrador" del episodio tiene de variar la cronología de los hechos históricos; de remontarse en el tiempo a una serie de sucesos posteriores; de poner lo primero en lo último, y lo último en lo primero, nos dice Galdós en el capítulo segundo:

– Perdóneme el piadoso público la falta de método que habrá notado en mis escritos, los cuales aparecen reñidos con el orden cronológico. Este defecto mío, radica en el fondo de mi naturaleza; y sin darme cuenta de ello, refiero los acontecimientos invirtiendo su lugar en el tiempo. Si nunca me ha entrado en el cerebro la Aritmética, tampoco hice migas con la cronología y sin pensarlo, refiero lo de hoy antes que lo de ayer, y la consecuencia antes que el antecedente (595).

Y más adelante añadirá:

–Necesito el desorden; la estricta cronología pugna con mi temperamento voluble y mis nervios azogados.

Finalmente, en mi intento de hacer la historia más

amena, nos avisa que:

— De asuntos privados, confundidos con los públicos, hablaré para que resulte verdadera la Historia, la cual nos aburrirá si a ratos no la descalzamos del coturno para ponerle las zapatillas (596).

¿Amadeo I masón?

La primera alusión a la masonería la encontramos al comienzo del episodio al narrar la entrada del nuevo rey en Madrid:

— Entró Don Amadeo a caballo, con brillante escolta, y su persona despertó simpatías en el pueblo... Varios amigos, de quienes hablaré luego, nos situamos en la esquina de la calle del Turco, palacio de Valmediano, orilla baja del Congreso, y le vimos muy a gusto desde que apareció por el Prado y embocó el repecho que llaman Plaza de las Cortes. Saludaba con graciosa novedad, extendiendo ceremoniosamente el brazo al quitarse el sombrero. Uno de los amigos que me acompañaban aseguró que aquel era el saludo masónico en su expresión castiza, y sólo por este detalle vió en el Rey entrante una esperanza de la Patria...

***

— Después de jurar en las Cortes, siguió su camino, entre soldados y apretada muchedumbre, prodigando el quita y pon del tricornio, que mi amigo llamaba *saludo masónico* (597).

El hecho de que sea uno de los amigos que acompañaban a Galdós el que establezca la relación entre el modo de saludar Amadeo I, con la forma que tenían de realizar el saludo los caballeros masones, es decir, "extendiendo ceremoniosamente el brazo al quitarse el sombrero", plantea en primer lugar la cuestión de que el tal amigo da la impresión de ser masón, no tanto por el atribuir el gesto de Amadeo a un saludo masónico, cuanto por el comentario "castizo" de que sólo por ese detalle veía en el rey entrante "una esperanza de la patria". Esto segundo refleja una ideología.

Otra cuestión sería saber a qué amigo se refiere el narrador, pues al abarcar una doble personalidad celtíbera-guanche, y ser cinco los amigos que contemplaban la escena (598), entonces parece ser que el "masón" debería de ser alguno de ellos, quedando descartada la posibilidad de que lo fuera el "guanche", es decir el propio Galdós, tanto más que al escribir este detalle utiliza una redacción que bien podría entrar en el terreno de la ironía. Parece querernos decir que es un absurdo el ver en la persona real "una esperanza de la Patria", tan sólo por el hecho de hacer algo que podría perfectamente calificarse de pura coincidencia.

Interpretándolo de otra manera, también cabe la posibilidad de que Galdós quiera establecer, ya desde el comienzo, una posible vinculación de Amadeo I con la masonería, o que, al menos, nos fijemos en eso del *saludo masónico*, escrito además en letra bastardilla, con que el autor insiste, en una segunda cita, acto seguido.

Todavía seguimos en el capítulo primero, y hacia el final del mismo, nos encontramos con la interesante descripción de un funeral, que los masones hacen a Prim "caballero Rosa Cruz, grado 18".

Funeral masónico en Atocha

Este último detalle quiere decir que eran los masones del Gran Oriente Nacional de España los asistentes al funeral, pues era en ese Gran Oriente en el que Prim tenía el grado 18, según nos ha indicado Galdós en el episodio anterior (599). El funeral masónico es descrito así:

– El mismo día, tempranito, habíamos ido los cinco a los funerales masónicos que se hicieron al general en la basílica de Atocha. Aunque yo y mi amigo de hospedaje y periodismo no teníamos vela en aquel entierro, nos agarramos a los faldones de Nuevo, Córdoba y Santamaría (600), para colarnos en el sacro recinto y en la capilla que los atrevidos masones convirtieron por un buen rato en logia o taller. Nunca ví cosa semejante, alarde atrevidísimo de licencia cultural. En los tiempos que corren, aquel acto habría sido la más escandalosa de las profanaciones, merecedora de los tizonazos del infierno. Yacía el cadáver del héroe de los Castillejos en una capilla de las primeras a mano izquierda, descubierto en su caja bronceada. De la otra parte del templo venía el tintín de campanillas, señal de misa y se oían pisadas y carraspeo de viejas. Los masones, que eran unos treinta, pertenecientes al Gran Oriente Nacional de España, dieron comienzo a la ceremonia, sin que nadie les estorbara en los diferentes pasos y manipulaciones de su extraño rito (601).

Aquí llama la atención, –aparte de la aclaración inicial de que ni Galdós, ni su amigo de hospedaje y periodismo tenían vela en ese entierro, es decir que no eran masones–, el que los masones tan cuidados y vigilantes en todo lo referente al secreto de sus ritos y ceremonias, hiciesen un funeral, según su usanza, en un templo católico –la Basílica de Atocha– abierto, por lo tanto, a todo el mundo. Y todavía sorprende más que este "funeral público" fuera el de tan importante personaje. Cierto es que se especifica que era "tempranito", pero ésto no evitaba, de ningún modo, que personas ajenas a la masonería –por ejemplo el narrador y su amigo– pudieran ver a sus anchas el desarrollo completo de un extraño ritual.

El tal ritual lo describe Galdós con todo detalle, bajo el epígrafe de "Descripción del funeral". Dice así:

– Lo primero fue hacer tres *viajes* alrededor de la caja, formados uno tras otro. El primero y segundo *viajes* iban dirigidos por los dos primeros *Vigilantes* de la Orden; en el tercero iba de guía el *Gran Maestre* (Gr:. Mae:. de la ord:.). Al paso arrojaban sobre el cadáver hojas de acacia. Luego, el propio *Gran Maestre* dio tres golpes de *mallete* (un mazo de madera) sobre la helada frente de Prim, llamándole por su nombre simbólico: "*Caballero Rosa Cruz*, Grado 18". A cada llamamiento, los masones, mirándose con gravedad patética, exclamaban: " ¡No responde!". Después formaron la *cadena mística*, dándose las manos en derredor del muerto. El *Vigilante* declamó con voz sepulcral esta fórmula: "La cadena se ha roto. Falta el hermano Prim, caballero Rosa Cruz, grado 18". A continuación, el *Gran Maestre* pronunció un breve discurso apologético y luego leyó un *balaustre*. Así llaman a las comunicaciones o documentos que las logias de diferentes países se cruzan entre sí para restablecer la fraternidad universal. El *balaustre* era de la masonería italiana, que ponía bajo la salvaguardia de los hermanos del Grande Oriente Español la persona de Amadeo de Saboya, encargándoles encarecidamente que velaran por el nuevo Rey y le protegieran de la maldad y asechanzas de todo género (602).

Aquí Galdós vuelve a hacer gala de su conocimiento de los rituales masónicos, aunque de nuevo resulte desconcertante –de la misma manera que al describir el interior de una logia en *El Gran Oriente* confundió guardia *interior* por *interino*, y dio a las letras J y B una interpretación errónea–, el que aquí confunda el nombre simbólico con el grado, pues "Caballero Rosa Cruz, grado 18" no es ningún nombre simbólico, sino el presunto grado que tenía Prim en ese Gran Oriente.

A continuación Galdós añade una NOTA, dentro del texto, en la que hace una rectificación histórica, puesta en boca de Santamaría (603), negando que Amadeo I hubiera sido masón. De esta forma, Galdós, una vez explotada la creencia popular en este sentido, y una vez descrito el desconcertante y un tanto inverosímil funeral masónico en la basílica de Atocha, da a entender que él personalmente no creía en la pertenencia masónica del rey saboyano:

–(NOTA.-Luego resultó, según me dijo Santamaría, que el balaustre era falso, y que Amadeo no figuraba en la masonería de su país, ni pisó jamás las *cámaras, logias* o *talleres*. Supercheria fue de un español amante de la casa de Saboya. Con tal ardid logró un efecto de propaganda previsora, muy eficaz en la ocasión crítica de aquella traída de un rey, para fundar dinastía en país turbulento y alocado). (604).

A pesar de esta negación galdosiana de que Amadeo I hubiera sido miembro de la masonería, en el nº 29 de la Gaceta Oficial del Gran Oriente Nacional de España, fechada en Madrid el 6 de febrero de 1890, se reproduce la siguiente esquela:

AMADEO DE SABOYA

Ha fallecido en Turín

El Supremo Consejo del Gran Oriente Nacional de España suplica a todas las Logias, Capítulos y Cámaras celebren una tenida fúnebre en honor de tan Ilustre y Caballeroso Hermano

Y en una breve nota necrológica, el Gran Maestre del Gran Oriente Nacional de España, Vizconde de Ros, escribía lo siguiente:

– D. Amadeo de Saboya, el monarca constitucional de la gloriosa revolución de septiembre de 1868 ha dejado de existir en Turín, rodeado de su familia, sentido por el pueblo, amado por todo el mundo. Digno galardón del que supo en momentos difíciles ser fiel a sus juramentos rechazando una corona que en lo sucesivo hubiera estado manchada de sangre.

–Recuerdo imperecedero al caballero y al masón, esposo de aquella santa mujer que se llamó Maria Victoria, cuya caridad inagotable, como recuerda el pueblo español, y cuyas virtudes la hicieron sufrir desvíos de una clase que no podía comprenderla.

–Nuestro más sentido pésame a sus hijos, a su viuda y a su hermano el Rey de Italia.

Vizconde de Ros (605).

Aquí surge la duda de si Galdós estaba mejor informado que el Vizconde de Ros, quien en el mejor de los casos sería, tal vez inconscientemente, continuador de la "supercher ía" en un momento en el que para nada servía la propaganda del ex-rey de España, aunque sí era un timbre de gloria para la masonería española que por esas fechas iba a la caza de "hermanos" ilustres, siendo no pocos los buscadores de prosélitos que llevados de un celo excesivo –como nos recordaba Galdós en su *Napoleón en Chamartín*– "no hallándolos en torno a sí, llevan su banderín de recluta por los campos de la Historia, para echar mano del mismo padre Adán, si le cogen descuidado" (605 bis).

Hoy día entre los diversos autores masones no hay

acuerdo en la filiación masónica de Amadeo de Saboya, siendo la mayoría los que la ponen en duda, y aquellos que la afirman, no aportan ninguna referencia digna de crédito (606).

En cualquier caso la nota en la que Galdós afirma que Amadeo de Saboya no era masón resulta curiosa por la forma de incrustarla en el texto –caso único en los Episodios– y que demuestra el especial interés que puso en ella. Lo que ya no resulta fácil de adivinar es el por qué de este interés, y de donde venía esa seguridad a Galdós, para afirmar tan tajantemente que Amadeo I no figuraba en la masonería de su país, ni *pisó jamás* las "cámaras", "logias" o "talleres".

Volviendo al funeral masónico de Prim, concluye Galdós con su toque de ironía:

– Observé que en la última parte del ceremonial, cuando los *Hijos de la Viuda* estaban en la plenitud de su abstracción litúrgica, asomaron en la entrada de la capilla dos o tres viejas y algunos inválidos que habían despachado sus misas. Con más curiosidad que espanto, miraron y oyeron los arrumacos y el vocerío masónico. Debieron pensar que aquellos señores rezaban por sus muertos en una forma y estilo extravagantes; mas no veían gran malicia en ello... Sotanas de curas y sacristanes no vimos que a la capilla se acercaran, lo que demostraba excesiva tolerancia o vista muy gorda de la superior clerecía de Atocha... Tolerancia hubo de una parte; pero la otra incurrió en el pecado de indiscreción, porque algún periódico describió la ceremonia con todos sus pelos y perendengues, sin omitir las hojas de acacia. Consecuencia de esta simplicidad periodística fue la destitución del rector de la basílica, don Leopoldo Briones, varón docto y un tanto hereje, según el decir; liberal sin careta, muy dado al libre pensar y a la libre crítica de personas y cosas eclesiásticas (607).

Al margen de las consecuencias que el funeral masónico tuvo para el rector de la basílica de Atocha, y del tono, entre irónico y despectivo utilizado, es evidente el interés del autor de los Episodios por contarnos este acontecimiento de una forma clara y concisa.

Si bien es cierto que hace un nuevo alarde de conocimiento y utilización de la terminología masónica, también es verdad que explica en diversas ocasiones, lo que esa terminología significa, consciente de que el lector habitual debía desconocer todo lo concerniente a simbología, creencias y ritos masónicos.

Retrato masónico

En las restantes citas, tan sólo tres más, en las que se nombra la palabra masón, no queda esta sociedad secreta muy bien parada, como ya es habitual en la obra de Galdós. Se relaciona el masón con el demagogo y el ateo, con el hereje y el mujeriego, con el pícaro, el zascandil y el revolucionario. Y no es un mismo estamento social el que tiene tal concepto de la masonería.

En el capítulo segundo, es el mismo protagonista, hablando de su árbol genealógico, el que relaciona a los "fieros demagogos y ateos" con los masones. Proteo Liviano (608), periodista de profesión, celtíbero de nacimiento, y gran amante de la libertad, tiene una opinión de los masones, en este caso, bastante negativa:

– Si queréis saber algo de mi ascendencia, os diré que es un extraordinario ciempiés o cienramas. Por mi padre tengo sangre de los Pipaones y Landázuris de Alava (609), absolutistas hasta la rabia, y sangre de los Torrijos y Porlieres (610), mártires de la Libertad. Mi madre me ha transmitido sangre de verdugos, como González Moreno y Calomarde (611), sangre de Zurbanos (612), y aún la de fieros demagogos, ateos y masones. Mi abolengo es, pues, de una variedad harto jocosa. Yo con paciencia y saliva, quiero decir tinta, he reconstruido mi árbol, y en él tengo señoras linajudas, títulos de Castilla, que casi se dan la mano con logreros y mercachifles de baja estofa; tengo un obispo católico, un cura protestante, una madre abadesa, dos gitanos, una moza del partido, un caballero del hábito de Santiago y varios que lo fueron de industria... Soy, pues, un queso de múltiples y variadas leches (613).

En el capítulo siguiente, según las damas alfonsinas reunidas para tomar el té, y en este caso hablar de Amadeo I dirán que este rey "es masón y nos ha traido acá el infierno" es decir el liberalismo; y además "no piensa más que en divertirse..." saliendo todas las noches de picos pardos con su ayudante italiano. Es normal que las damas nobles españolas, tan católicas y recatadas de cara al exterior, y partidarias de una monarquía no extranjerizante, en la que gobierne Alfonso XII de Borbón (614), hijo de la desterrada Isabel II, no vieran con buenos ojos a un monarca que, aparte de no ser español, se negaba a tomar "las cosas políticas por el lado de la religión". Amadeo I, además de masón, era un usurpador, y su mujer, doña María Victoria... "una buena mujer, sin hábitos de reina" (615).

No es extraño que esta clase social tan íntimamente ligada con la religión, viera en Amadeo de Saboya a un rey, que por abrir demasiado la mano a las ideas liberales —anticlericales por excelencia en esos momentos— era un masón que "nos ha traido acá el infierno":

— Sabrás que en casa se reunen a tomar té las señoras alfonsinas. Van la Monteorgaz y la Campo-Fresco (616). Esta tiene, según dicen, la contrata de los chistes, porque los hace tan graciosos, que dan risa para todo el año... También van la Belvís de la Jara, La Villares de Tajo, la Villaverdeja y la de Yébenes (617). Esta, que según cuentan es más *nea que Dios*, toma las cosas de política por el lado de la religión. Dice que este Rey es masón y nos ha traído acá el infierno... Pues allí se están picoteando toda la tarde, y por la noche van algunas de ellas y muchos señores: uno que le llaman Orovio (618), el marqués de Molíns (619), este..., ¿cómo se llama?, Iranzo (620), y otros que tú conocerás... En fin, que no paran de hablar mal de este pobre Rey... Que si no piensa más que en divertirse...; que si sale a la calle como un cualquiera, encanallando la majestad; que si todas las noches se va de picos pardos con su ayudante italiano; que si le han visto en tales o cuales casas... ¡Jesús, qué cosas dicen! (621).

De esta forma la crítica de Galdós aparentando dirigirse contra los masones y la masonería, apuntaba con igual o mayor fuerza hacia otros terrenos en los que mezcla hábilmente personajes de ficción –todas las damas alfonsinas– con personajes históricos –todos los varones que cita como asiduos a dichas tertulias–.

Finalmente en el capítulo XVIII es el propio protagonista narrador del episodio el que es acusado de masón, revolucionario callejero, zascandil de la literatura y periodismo, y pícaro redomado. ¿Se trata de alguna anécdota ocurrida al propio Galdós? La acción se desarrolla en la villa de Durango, lugar de residencia de la familia del protagonista, y a donde había acudido para descansar de la ajetreada vida de Madrid. Debido a la fama que allí tenía de gran orador, le ruegan que dé a las buenas gentes duranguesas una conferencia sobre un tema que dejan a su elección. Conociendo el periodista la fanática mentalidad religiosa de los habitantes de "esos pueblitos" del Norte, les habla de la "Proclamación de la República Hispano-Pontificia", y a pesar de la cantidad de incongruencias que les dice, el éxito fue atronador.

Los clérigos, celosos de su fama y prestigio, inician una campaña de descrédito contra su persona; y como acusarle de hereje o ateo era algo que chocaba enormemente con lo que Proteo Liviano había referido en su plática –el dominio de la Iglesia de Dios sobre todas las cosas– había que acusarle de, por ejemplo, zascandil, pícaro redomado y revolucionario callejero; en una palabra, de masón:

– Por otra parte, llegaron a mí referencias totalmente desfavorables a mi persona y discurso. Mi amiga mística, Josefa Izco (622), cuando ya sus tiernas afecciones iban derivando por suave pendiente hacia la impureza, me informó con íntimo secreto de que dos curánganos aviesos, el uno coadjutor en Santa María, capellán el otro de las Claras tramaban atroz conjura contra mí. Andaban diciendo que, informados de mi persona y antecedentes por sujetos llegados de Madrid, sabían que yo era un pícaro redomado, un zascandil de la literatura y el periodismo, federal de abolengo, masón y revolucionario callejero, y que mi famosa perorata fue una burla infame de la honrada inocencia de los durangueses.

–Creía Pepita Izco que los tales clérigos procedían así movidos de la envidia y del reconcomio de su barbarie y que yo sufría la injusta persecución que siempre recae sobre el verdadero mérito. Pero me prevenía contra la maldad de mis enemigos, que ya se preparaban para vilipendiarme públicamente. El uno se proponía desenmascararme desde el púlpito contando mi vida de disipación y escándalo y mis propagandas demagógicas y ateas. El otro andaba ya en tratos con una pandilla de mozos de brío, que me obsequiarían con una somanta, toreándome por las calles y arrojándome del pueblo (623).

Algunos críticos ponen de manifiesto el "descuido" de algunos detalles relevantes al enfrentarse Galdós con la redacción de la serie final; uno de estos "descuidos", según indica Montesinos, sería la poca importancia que concede a la masonería (624). Tal vez no se trate de "descuidos", sino de una postura tomada expresamente dadas las características de relativa proximidad de los acontecimientos.

Amistades masónicas

En *La primera República* Galdós utiliza la misma técnica del narrador-protagonista, quien sin pertenecer a la masonería, parece tener buenas amistades dentro de la Orden, hasta el punto de haber asistido a una tenida blanca:

– Al instante me sentí arrastrado al vértigo de una conversación febril, de política, por supuesto... Don Santos (625) hablaba horrores de Martos, de Becerra (626) y de toda la chusma que llamaban cimbrios. Junto a mí había dos tipos locuaces, que despotricando me rociaban con su saliva. Sus caras no me eran desconocidas; pienso que les ví en un templo masónico, a donde me llevaron una noche a ver una *Tenida blanca*, con pasteles, caramelos y baile agarrado. Si no me equivoco aquellos dos *venerables hermanos* tenían en la Logia los nombres de *Licurgo* y *Epaminondas* (627).

En el fondo se observa aquí, –quizá más acusadamente que en el episodio anterior en el que Galdós utiliza el funeral masónico de Prim como anticlimax de la tragedia derivada del asesinato cometido en un momento histórico clave–, que sin necesidad de recurrir a juicios de valor, nos da una visión de la masonería como algo que no movía realmente los hilos de la historia; algo que no podía tomarse muy en serio; más aún, algo ridículo.

La alusión al templo masónico y su "tenida blanca" con "pasteles, caramelos y baile agarrado" es suficientemente expresiva. Por otra parte la referencia a los nombres simbólicos –Licurgo y Epaminondas– correspondientes a dos "Venerables hermanos", sirven para enlazar con la masonería de adopción:

– En el giro de la conversación vine a comprender que también aquella dama había visto las *Columnas Simbólicas*, como aprendiza masona, en lo que denominan *Rito de Adopción*. Algunos la llamaban Candelaria, su nombre de pila, y otros le aplicaban el sonoro mote de *Penélope* (628).

Como complemento de lo anterior dirá más adelante:

– Por no cansar a mis buenos lectores con prolijidades impertinentes, omito el empalagoso tramitar que me llevó a la intimidad con la estrafalaria señora del Café de las Columnas, a quien podía designar, escogiendo *ad libitum*, cualquiera de los tres nombres que le aplicaba la turbada sociedad de su tiempo: *Penélope* por lo masónico, *Rosa Patria* por lo literario y *Candelaria* conforme al santo Crisma (629)

A pesar de que Galdós podía en este episodio haber hecho un uso mayor de la significación masónica de muchas personalidades y políticos del momento, sin embargo se muestra muy recatado en este terreno. No obstante no puede menos de citar a un masón tan conocido como Nicolás Díaz Pérez (630), autor en 1894 de un "Ensayo histórico-crítico de la Orden de los Francmasones en España, desde sus orígenes hasta nuestros días", del que afortunadamente sólo se tiraron 250 ejemplares, y del que se puede decir que ni es ensayo, ni histórico, ni mucho menos crítico. Es más que posible que Galdós conociera dicha publicación, aunque no parece le dio demasiado crédito. La cita en cuestión es la siguiente:

– Al llegar a la iglesia del Sacramento vi que de la calle Mayor descendían sigilosos, como negros fantasmas, algunos embozados, y se precipitaban en la oscuridad del Pretil de los Consejos. "Estos son masones –me dije–, que van a la *tenida* de esta noche". En efecto, algunos pasos más arriba me encontré a Nicolás Díaz Pérez, calificado como una de las más altas dignidades entre los *Hijos de la Viuda.* Nos paramos, y él, desembarazando su boca del embozo, me dijo:

–Tú que estás en Gobernación, ¿no sabes lo que pasa en Barcelona? Desde hace días la tropa, pasándose la disciplina por las narices, fraterniza con los federales en cafés y paseos públicos. La plana mayor y jefes, aburridos y sin agallas, no se atreven a imponerse a las clases y soldados. O no hay lógica, o pronto tendremos Cantón catalán. Adiós, amigo, me voy retrasado y no quiero llegar tarde al *templo.* A ver cuándo se decide usted a *penetrar en nuestros augustos misterios.* Buenas noches, Tito (631).

La invitación final a ingresar en la masonería puede interpretarse como una señal de que el "narrador" no pertenecía a la masonería, a pesar de que estaba en buenas relaciones con algunos masones, como ya había dejado constancia un par de capítulos más arriba al describir la *tenida* blanca a la que había asistido. Esta autojustificación por partida doble es de suponer no careciera de sentido en Galdós.

Respecto a sus amistades "masónicas" todavía hay otra escena que viene a incidir en lo ya dicho:

– Cerca de mí, un sujeto leía en alta voz, en ruedo de bebedores, el folleto de Roque Barcia (632) *El Papado ante Jesucristo*, escrito en conceptos bíblicos, que eran la forma usual de aquel desatinado evangelista. Comentaban los oyentes con risas o alabanzas las frases de latiguillo que eran la salsa del folleto. Al terminar la lectura, el vocero de don Roque se fijó en mí, y acudiendo a saludarme, me dijo:

– Amigo don Tito, dispénseme, no le había visto. Estaba leyendo a estos señores la más grandiosa filípica que se ha escrito contra la Curia romana. Usted la conocerá.

– Sí, sí; me la sé de memoria –contesté yo, y al decirlo recordé en él a uno de los *maestros masones* con quienes tomé café en el de las Columnas, la tarde que hice conocimiento con Candelaria. Era el que en Masonería llevaba el nombre simbólico de *Licurgo*. Sentándose junto a mí, sacó un fajo de folletos, y alargóme uno con estas corteses palabras:

– Tengo el gusto de ofrecer a usted el que acaba de imprimirse, y aún no se ha puesto a la venta. Es precioso, interesantísimo. Vea usted qué titulo: *¿Quieres oir, pueblo?, o la cabeza de Barba Azul* (633).

Y aquí concluyen las escasas referencias directas a la masonería en este episodio dedicado a la primera República. Sin embargo todavía hay un pasaje, en el que interviene Penélope, la aprendiza masona, que, por lo que de ella relata Galdós, era fértil en redacción de libelos anticlericales y antivaticanistas:

– En el correr de los días de marzo fueron menos frecuentes mis visitas a Candelaria *Penélope*. Leí sus furibundos ataques a la *Roma Papal* y unas *Consideraciones sobre la equidad tributaria*, escritas en prosa poética...

***

– Como ya os he dicho, me fui retirando *por escalones*

de la intimidad de *Rosa Patria*, no porque su persona me disgustara, sino porque se me hacía muy penosa la obligación de alabar sus escritos, y más aún la de colaborar en ellos...

***

– Una noche nos enredamos en agria disputa sobre los reparos que puse a un articulazo que ella escribió con el título *El Papado en camisa* y a una poesía truculenta que denominaba *Ven pronto, guillotina* (634).

Lástima que Galdós no baje a más detalles sobre su discrepancia en el ataque al Papado, pues es muy significativo que pocos meses antes de escribir este episodio (febrero-abril 1911), se anunciara la participación de Galdós en el Palacio de Bellas Artes de Barcelona, en el Primer Congreso Librepensador español, celebrado los días 13 al 16 de octubre de 1910, y en el que debía hablar precisamente del tema: "Modo de influir todo lo eficazmente que sea posible para que España rompa con el Vaticano y lograr que aparte de la exhibición de sus símbolos en iglesias y capillas, las manifestaciones de los cultos queden reducidas al recinto de sus iglesias, capillas o sinagogas" (635).

Aquí resulta un tanto desconcertante la relación que establece Galdós entre las sinagogas y el Vaticano.

VII. LOS DOS ULTIMOS EPISODIOS

De Cartago a Sagunto o el silencio masónico

El protagonista de este episodio –al igual que en los

anteriores de la serie final— es Tito, periodista de profesión, con su compromiso de narrar los acontecimientos de la vida nacional. Comienza su aventura en la Cartagena dominada por la revolución cantonal. Antes de acabar ésta, parte para Madrid, donde asiste a la última reunión de las Cortes republicanas en la noche de su disolución por el general Pavía (636).

Acto seguido emprende un viaje hacia el norte acompañando a *Chilivistra* (637), y allí contempla las acciones bélicas desarrolladas contra los carlistas en Somorrostro y Estella. Finalmente, se interna en la Meseta, donde le toca vivir la toma de Cuenca por los carlistas mandados por los infantes D. Alfonso y Dª Mª de las Nieves (638). Nos da una imagen sombría de esta última, considerándola culpable de los crímenes, saqueos y violaciones de las tropas carlistas en la ciudad de Cuenca.

A lo largo del relato, a pesar de que se narran episodios cruciales de la Historia contemporánea de España, no aparece ni una sola referencia a la masonería, ni siquiera en las intervenciones de los personajes populares y carlistas, de los que en situaciones parecidas tanto uso hizo para ridiculizar la masonería. El silencio es total.

Ante esta actitud caben múltiples interpretaciones, desde los que opinan que la masonería había perdido vigencia o actualidad con relación a épocas pasadas, hasta los que puedan pensar en un mayor acercamiento o compromiso con la masonería, o al menos con la ideología que su organización tenía en España.

Cánovas, punto final

En *Cánovas* (639), Galdós nos sitúa en el ambiente de la España de la Restauración. Aquí, la realidad objetiva se vuelve problemática y el universo novelesco aparece muy diluido. A través de Tito, el protagonista, Galdós nos pinta la España de la Restauración, radiografía de la época a través de los personajes, aristocracia madrileña, políticos liberales y conservadores, una clase media desanimada, etc.

Hay un cambio de orientación, pasando del realismo a cierto naturalismo-espiritualismo. Los personajes aparecen como desligados del mundo, hay desconcierto, decepción. Galdós no logra evitar cierto dualismo político ya que le resulta difícil distanciarse de lo que narra. En cierta forma, aparece un Galdós desengañado, y la emprende con la burguesía de la Restauración que antes elogiaba. De esta forma, de considerarla una clase pujante, la rebaja a advenediza social.

Este cambio de orientación, en el que indirectamente se refleja el propio Galdós, no supone un alejamiento de la realidad. Lo que sucede es que si en el primer período de Galdós, como representante de una burguesía liberal progresista, o mejor de la generación de escritores que se ha llamado "Generación del 68", había una homología del universo novelesco y el mundo objetivo, manifestado en un equilibrio entre el autor y la realidad, ahora, en la época de la Restauración, se rompe este equilibrio, con el desengaño de la burguesía liberal y la aparición de una nueva visión del mundo. El propio Galdós calificó de "tiempos bobos" los años que vinieron con Cánovas y con Alfonso XII, los años de la Restauración. Según Galdós, la historia de España, es decir, la historia novelable, en el sentido de la historia que merece ser novelada porque posee una significación, se acaba con la Restauración Borbónica.

En este contexto, consecuente con la línea adoptada en los últimos episodios, apenas aparece nada en relación con la masonería, y cuando aparece, que es en una sóla ocasión –al igual que en *La primera República*– no es para presentarla como protagonista de los acontecimientos políticos, sino indirectamente haciendo entrar en la escena a un masón que aparece conversando como cualquier ciudadano normal, si bien en el tratamiento galdosiano no puede faltar, una vez más, –la última de los Episodios Nacionales– cierta ironía o desprecio:

– Era nuestra delicia la sociedad de los ventorrillos, donde escuchábamos las conversaciones más graciosas...

– Otra tarde se nos apareció el masón llamado burlescamente *Epaminondas*, a quien conocí en la tertulia de *Candelaria Penélope* (640). Le convidamos a merender en un ventorro; aceptó, y apenas nos sentamos los tres empezó a discursear de esta manera:

– Ya tenemos a Periquito hecho fraile; ya tenemos a Sagasta (641) metido en la legalidad. ¿No leiste la semana pasada el artículo de *La Iberia?* Pues bien claro lo dice. Los elementos procedentes del amadeismo y del unionismo, juntamente con los restos del antiguo progresismo que no están con Zorrilla (642), quieren ahora formar un partidito que a un tiempo se llame liberal y borbónico. ¿Entiendes esto; lo entiende usted, señora?

– Sí que lo entiende, querido *Epaminondas* –respondí yo–. Ni el *elemento* liberal, ni el *elemento* borbónico quieren perecer... Sagasta formará un partido liberal dinástico que alterne con el de Cánovas en la gobernación de estos reinos venturosos.

– A eso iba –prosiguió el masón mostrando en su rostro el júbilo y la vanagloria de contar un suceso que él sólo sabía–. Oyeme. Puedo asegurarte como si lo hubiera visto que ayer y hoy se han reunido Sagasta y Cánovas en casa de este último: Fuencarral, 2. Encerrados estuvieron más de dos horas cada día, tratando de... La conversación entre ambos prohombres no he de referírtela porque no la oí... Pero te diré, si te interesa saberlo, la hora exacta con minutos en que entró Sagasta y la hora en que salió. Lo sé por Ramón (643), el ayuda de cámara de don Antonio, que es paisano y amigo mío y todo me lo cuenta... Total, es claro como el agua que los empingorotados corifeos conferenciaron acerca de la forma y modo de fundar el nuevo partidito, *bajo la base* del equilibrio de los *elementos* dinásticos, conforme al *credo* borbónico.

– En mi sentir –respondí yo–, todo lo que me has dicho es la pura realidad...

***

– Disertamos un poco más sobre el asunto, cada cual según su temperamento y estilo, hasta que el amigo *Epaminondas* se fue con unas mozas barbianas que salieron del merendero próximo (644).

CONCLUSION

Llegado el momento de extractar algunas conclusiones que sinteticen en cierta manera lo expuesto anteriormente, se puede decir que en las dos primeras series de los Episodios Nacionales de Galdós –que por su contenido y fecha de publicación constituyen un bloque homogéneo– la presencia masónica es no sólo constante sino progresiva en su desarrollo y vinculación con los hechos históricos relatados, culminando en cierta manera en el episodio que dedica en su integridad a la masonería: *El Grande Oriente*.

La masonería, por otra parte, es abordada desde un triple aspecto: el 1º, lo que nos dice de la masonería por boca de sus protagonistas masones; 2º, lo que de la masonería dicen los personajes procedentes del pueblo, del clero, y de los elementos absolutistas-realistas en su doble vertiente fernandina y carlina; y 3º, lo que piensa el propio Galdós, y así lo manifiesta cuando haciendo un paréntesis en la trama de la novela episódica correspondiente, se toma la libertad de dar juicios de valor sobre la masonería, e incluso cuando traza rápidas pinceladas de su historia interna.

En los episodios correspondientes a las tres últimas series la presencia masónica se mantiene –siguiendo la misma triple técnica de desarrollo–, con más o menos incidencia, quizás de una forma menos intensa, aunque siempre constante, manteniéndose la línea galdosiana que nos ofrece una imagen popular de la masonería en la que ésta queda, en general, identificada con el filosofismo, el liberalismo, la conspiración y revolución, los jacobinos, los progresistas y demócratas, los ateos, los herejes, etc. etc.

Las escenas se multiplican sin cesar en situaciones de lo más variadas y pintorescas. Sin embargo cuando Galdós enjuicia la masonería, de la que por otro lado no sabe ni quiere prescindir, la resultante es siempre la misma dentro de una crítica dura, y a veces demoledora, que en muchos casos es irónica y despectiva, y en otros fuertemente ridiculizadora, en especial cuando alude a la masonería contemporánea española, la del período en el que Galdós escribe los Episodios. Y es aquí donde nos presenta lo que podríamos denominar que es para él la verdadera masonería –la extranjera– (la que existe "tan sólo para fines filantrópicos independientes en absoluto de toda intención y propaganda políticas"), y la funesta transformación que dicha masonería había adoptado en España, tanto en el período que relata, como en la época en que escribe, períodos en los que "los sectarios de esta Orden" no pasaban de ser meros "propagandistas y compadres políticos".

No obstante la crítica y tratamiento masónicos están hechos con un conocimiento profundo de la asociación, en su doble vertiente pasada y actual, del que hace gala a través de una exhibición de vocabulario y tecnicismos masónicos, así como de sus rituales y organización interna.

Esta actitud lleva al planteamiento de si Galdós puede ser considerado, en este caso concreto, como historiador, o al menos informador de la historia de la masonería española del siglo XIX. Planteamiento que, a su vez, hace pensar en las fuentes en que se inspira Galdós, tanto para aquellas series cuya acción es anterior a su nacimiento, como para etapas posteriores donde tienen ya cabida sus posibles experiencias personales.

No han faltado quienes ante el interés o especial preocupación de Galdós hacia la masonería han querido hacerle miembro de dicha organización. Cosa que a la vista de la despiadada crítica que hace de ella resulta un tanto desconcertante. Por otra parte en los archivos que se han conservado de la masonería, no aparece su nombre en ninguno de los cuadros lógicos españoles del período en el que Galdós vivió, si bien es cierta su colaboración en el Primer Congreso Librepensador Español, a celebrar en Barcelona en honor del masón Francisco Ferrer y Guardia, los días 13 al 16 de octubre de 1910, en el que, dado el frente común que existía entre masones y librepensadores, figuraban algunos masones entre los autores de las correspondientes ponencias.

Ya hemos visto cómo en varias ocasiones Galdós tiene especial interés en decir que no pertenecía a la masonería, aunque tenía amistades y conocidos que, no sólo le tenían informado de lo que allí ocurría, sino que intentaban atraerlo a base de ofrecimientos de ingreso, e incluso de invitaciones personales a tenidas blancas, aspectos estos sobre los que el propio Galdós llama la atención del lector utilizando incluso distinto tipo de letra.

De todas formas, perteneciera o no a la masonería, el desencanto que Galdós manifiesta hacia dicha organización en su versión española es tan notable que, en el mejor de los casos, podríamos encontrar en alguno de sus protagonistas rasgos autobiográficos sobre el particular, al menos en su aspecto ideológico.

Puestos a buscar una explicación del por qué de la importancia dada por Galdós a la masonería, habría que saber cuales fueron las fuentes en las que se inspiró. Y aquí el influjo de Alcalá Galiano, Vicente de la Fuente, Luis Ducós —entre otros— es claro y constante. Por otra parte, en no pocos casos —como él mismo insinúa— es la prensa de la época la que le proporciona numerosos datos y noticias que le servirán de inspiración para la elaboración de admirables páginas de los episodios.

En este sentido es importante analizar si entre el Galdós que va relatando las vicisitudes de la historia española, sobre todo de la primera mitad del siglo XIX, y el Galdós que escribe a partir de la década de los 70, no hay una interconexión ideológica que le lleva a cierta proyección del presente al pasado. Pues lo que no puede evitar Galdós es el relacionar períodos constitucionales pasados con la época en que vive, dando a veces un salto de más de medio siglo. Salto que en el caso de Galdós –calificado entonces como hombre liberal y avanzado y con una cierta militancia política, si bien no tan fuerte como lo sería posteriormente– pudiera tener una intencionalidad clara: orientar a sus lectores hacia la solución política que les ofrecía la actualidad. Es decir, que cuando Galdós escribe sus Episodios, cuando rememora la historia del pasado, es posible que esté haciéndose intérprete más o menos espontáneo de una ideología socio-política de clase (645).

En cualquier caso hay un aspecto que no deja de tener un gran interés histórico, y es cuando el propio Galdós, saliéndose del relato de los Episodios, se permite digresiones sobre los orígenes de la masonería en España, sobre su pasado y sobre su estado actual; digresiones que tienen el valor de un testimonio tanto más valioso dada la cultura y personalidad de don Benito Pérez Galdós, del que precisamente se ha dicho con acierto que su obra "está tan inserta en la realidad de la época, que el drama humano de cada uno de sus libros se comprende siempre dentro de la realidad histórica" (646).

Por esta razón no cabe duda que muchos de los puntos controvertidos de la historia de la masonería española son abordados por Galdós en cuanto historiador. En especial le preocupan ciertas presuntas vinculaciones –en no pocos casos fruto de la imaginación– con que algunos biógrafos y creencias populares rodeaban a personas tan ilustres de nuestra historia como, por ejemplo, Carlos III, el Conde de Aranda, el Conde del Montijo, el infante don Francisco de Paula, el infante don Enrique de Borbón, Prim, Amadeo I de Saboya, etc. etc., e incluso de la historia papal, como Pío IX, el cardenal Gizzi, etc. etc.

Ante estos casos, con una gran independencia de juicio, toma postura, y sin temor a la polémica ni al tópico va destruyendo falsas apropiaciones en un verdadero intento de acercarse a esa verdad histórica con que magistralmente rodea incluso pasajes anovelados de sus Episodios Nacionales.

Dentro de las múltiples preguntas que nos podemos hacer a la hora de enjuiciar históricamente los Episodios Nacionales, hay dos que, tal vez, sinteticen el objetivo de este trabajo. La primera de ella es:

– ¿Pueden servir los Episodios como fuente para documentarnos sobre la masonería española del siglo XIX? La respuesta –incidiendo en lo anterior– es que nos proporcionan una serie de datos y juicios de valor galdosianos [lo que no quiere decir que sean apriorísticos] que dada la impresionante información de que disponía, no son nada despreciables, en especial en aquellos puntos más conflictivos o polémicos. Es cierto que Galdós no hace la historia de la masonería española del XIX. Tampoco lo pretende. Pero el especial protagonismo que le dedica –al margen de motivaciones personales vividas directa o indirectamente a través de sus amigos y conocidos– hace que se pueda seguir a grandes rasgos el nacimiento, crecimiento y desarrollo de la masonería española, así como sus momentos de máximo esplendor y de decadencia y fracaso. Los detalles sobre su estructura, funcionamiento, organización y rituales es, en algunos casos, una verdadera exhibición de conocimientos. Pero, por encima de lo que podríamos decir afecta a la propia masonería y a los masones españoles, es quizás más importante el haber sabido captar y reflejar con verdadera maestría ese sentimiento antimasónico tan arraigado en amplios sectores de la sociedad española, tanto política como religiosa, que lleva a una instintiva identificación de masónico con todo aquello que no se ajuste a lo tradicional, católico y español, en el sentido más estrictamente castizo e inmovilista.

La otra cuestión que nos podíamos plantear es si Galdós se limita meramente a recoger datos o ambientes y exponerlos sin más, o por el contrario los manipula; es decir, si toma postura ante el hecho masónico en uno u otro sentido.

Aquí nos encontramos con un problema un tanto complejo, y es el desdoblamiento de la personalidad de Galdós. Está claro que cuando Galdós se expresa como tal, saliéndose de la narración para enjuiciar un hecho, una situación, o una idea, no existe problema de interpretación, como, por ejemplo, cuando habla de los orígenes decimonónicos de la masonería española, o cuando compara la masonería española con la extranjera, o los fines de la que él llama verdadera masonería y la versión hispana del XIX. Más complicado resulta el separar lo que a través de los múltiples personajes galdosianos –tanto los históricos "recreados" por él, como los de mera ficción– nos dice o quiere decir Galdós. Hasta qué punto sus juicios son compartidos por el autor. Es evidente que, en no pocos casos, es el propio Galdós el que así se expresa, incluso cuando retrata personajes ideológicamente contrarios, pues entonces actúa a través del ridículo y la ironía que es la constante más clara y reiterativa en la presentación y enjuiciamiento del fenémeno masónico. Pero incluso en este caso cabe preguntarse si esta ironía –que en muchos casos es verdaderamente demoledora– no puede se indicio de cierta simpatía, o cuando menos de acercamiento y comprensión de Galdós hacia un grupo, los masones, al que una visión distorsionada, fanática y excesivamente simplista, iba a unir, en el sentir popular, con causas tan gratas al escritor como la corriente liberal o la democrática y republicana. Es decir, que incluso a través de la ironía aparentemente destructiva; a través de la dureza de ciertos juicios, y del ridículo más agudo, el masón está siendo identificado con "algo" que para la España absolutista, tanto en su versión fernandina como carlina, para la España tradicional y católica... era la síntesis de todo lo que de maldad –a veces incluso satánica– se podía pensar y expresar. Y para la otra mitad de España, la liberal y democrática, era la síntesis de lo que en ese momento histórico se presentaba como la meta salvadora que había que conseguir; meta que se dibujaba con los caracteres de libertad, tolerancia, igualdad, apertura, fraternidad, progreso, etc. etc.

Pero dejando a un lado imágenes más o menos idealizadas, Galdós sabrá distinguir con claridad, y de forma machaconamente reiterativa, entre lo que el término masón significaba en un estadio de pureza, y la versión española de entonces, donde el compadrazgo político la había convertido poco menos que en una agencia de recomendaciones y colocaciones. Y en esta doble visión, un tanto distorsionada según las situaciones, es donde radica otra importante fuente de información histórica de Galdós, cuyo máximo valor reside, no tanto en el planteamiento de casos concretos, –que no faltan–, ni en la fabulosa galería de personajes históricos a los que hace participar en la acción de sus novelas, sino en la presentación de situaciones ambientales que tanta importancia tienen a la hora de enfrentarnos con el estudio de épocas pasadas.

Tal vez radique aquí uno de los aspectos de más valor y actualidad de Galdós en su tratamiento de la masonería, a saber: el ironizar, y, sobre todo, ridiculizar la ignorancia y la superstición que en su tiempo existía en torno al problema de la masonería; ignorancia y superstición todavía no superadas hoy día.

En este sentido los *Episodios Nacionales* no los podemos aislar de la otra producción literaria galdosiana, en especial de sus primeras novelas, en las que también aborda el tema de la masonería con la misma intensidad, preocupación y libertad de espíritu, que en los Episodios.

Precisamente en su novela *El Audaz* encontramos un pasaje que, a modo de cita final, puede resultar tan sugestiva como reveladora:

– ¡Masones o brujos!... También a mí me acusaron de lo mismo. No se puede presenciar con calma la superstición y torpe ignorancia que se necesita para creer tales despropósitos. Se comprende que haya un Pueblo ignorante que lo crea, pero ¡que haya una institución que lo legalice y una Sociedad que lo tolere en estos tiempos!... Da vergüenza de pertenecer al linaje humano cuando se ven ciertas cosas (647).

NOTAS

(1) MONTESINOS, José F., *Estudios sobre la novela española del siglo XIX*, Madrid, Castalia, 1968, *Galdós* vol. I, págs. 110-111.

(2) MARAÑON, Gregorio, *Elogio y nostalgia de Toledo*, Madrid, Espasa-Calpe, 1961, pág. 62.

(3) Sobre la diferencia entre los personajes creados y los recreados por Galdós, cfr. SAINZ DE ROBLES, Federico Carlos, *Introducción a las Obras Completas de Pérez Galdós*, Madrid, Aguilar, 1970, 12ª ed., t.I, págs. 153-154. Cfr. igualmente del mismo autor: *Ensayo de un Censo de los Personajes galdosianos comprendidos en los "Episodios Nacionales", Ibidem*, t. III, págs. 1410-1873, donde establece una diferencia entre los personajes de pura invención galdosiana, y los personajes históricos, intervengan o no en la acción de las novelas.

(4) REGALADO GARCIA, A., *Benito Pérez Galdós y la novela histórica novelesca española: 1868-1912*, Madrid, Insula, 1966; LIDA, Clara E., *Galdós, entre crónica y novela*, Anales Galdosianos, VIII, The University of Texas, Austin, 1973, págs. 63-77.

(5) GOGORZA FLECHTER, M. de, *Galdós, Episodios Nacionales, series I and II: The intrinsec-extrinsec nature of the historical genre,* Anales Galdosianos, XI, The Univesity Of Texas-Excmo. Cabildo Insular de Gran Canaria, 1976, págs. 103-108; GULLON, R., *La Historia como materia novelable*, Anales Galdosianos... V, 1970, págs. 23-37; HOAR, J.L., *More on the Pre (and Post) History of the Episodios Nacionales: Galdós article "El dos de Mayo" (1874)*, Anales Galdosianos... VII, 1972, págs. 107-120.

(6) HIRTENHAUSER, Hans, *Los Episodios Nacionales de Benito Pérez Galdós*, Madrid, Gredos, 1963, aporta una interesante información sobre las fuentes utilizadas por Galdós. Posteriormente CARDONA, R., publicó sus *Apostillas a los Episodios Nacionales de Benito Pérez Galdós de Hans Hinterhäuser*, Anales Galdosianos... III, 1968, págs. 119-142, donde añade nuevos materiales que proyectan bastante luz sobre las muchas cuestiones que la elaboración de los *Episodios* implican. Cfr. igualmente MONTESINOS, *op. cit.*, Galdós III, pág. 20 donde sigue la pista de algunas de las fuentes de información de Galdós, especialmente las correspondientes al episodio *Zumalacárregui.*

(7) GABRIEL ARACELI, personaje inventado por Galdós, es uno de los elementos de unión de los diversos episodios de la primera serie, ya que

es utilizado como protagonista narrador. Toma parte en la batalla de Trafalgar, en el 2 de mayo de Madrid, en el sitio de Zaragoza, en la exaltación constitucional de Cádiz, en la epopeya de Bailén y en la batalla de Arapiles.

(8) SALVADOR MONSALUD es también una creación galdosiana. Sobrino del masón don Andrés, a quien apalearon en Salamanca. Según Galdós, "aunque el joven tenía ideas, y no pocas, si bien revueltas, confusas y desordenadas, aún no poseía las que comunmente se llaman ideas políticas, es decir, no había llegado, a pesar del vehemente ardor de la generación de entonces, al convencimiento profundo de que la solución nacional fuese mejor o peor que la extranjera...".

(9) ANDRESILLO MARIJUAN, otra invención de Galdós, es presentado como un alegre mozo de mulas en casa de la condesa de Rumblar, en tierras de la Almunia de Doña Godina. Es suya la narración del sitio de Gerona, donde no estuvo Gabriel Araceli, narrador de los restantes nueve episodios de la Primera Serie.

(10) LUIS SANTORCAZ, al igual que los anteriores pertenece al mundo de ficción galdosiano. Es un aventurero afrancesado y masón, precisamente "uno de los introductores de la masonería en España". Hombre de "unos 40 años... alto de cuerpo, de mirada viva y sonrisa entre melancólica y truhanesca, como la de persona muy corrida en las cosas del mundo, y especialmente en las luchas de ese vivir, al par holgazán y trabajoso, a que conducen la sobra de imaginación y la falta de dineros...".

(11) PEREZ GALDOS, Benito, *Episodios Nacionales. Bailén*, Madrid, Aguilar, 1970. Obras completas, t. I., págs. 508-509. En adelante todas las referencias a la obra de Galdós se hacen a la edición de 1970 [12ª edición] de las Obras completas hecha por Aguilar.

(12) *passim*. Más adelante en cada caso particular volvemos sobre dichos epítetos.

(13) *Napoleón en Chamartín*, t. I., pág.. 550.

(14) Sobre este tema cfr. el Extra dedicado a la Masonería de la revista "Historia 16", Extra IV, Noviembre 1977, págs. 45-56.

(15) *Bailén*, t. I, págs. 508-509; 519.

(16) *Ibidem*, pág. 519.

(17) *Napoleón en Chamartín*, t. I., pág. 550.

(18) *Ibidem*. La mayor parte de estos datos los reproduce DIAZ Y PEREZ, *La Franc-masonería española. Ensayo histórico-crítico de la Orden de los Fracmasones en España desde su origen hasta nuestros días*, Madrid, 1894, págs. 214-218, quien a su vez los toma de DUCOS, Luis, *Historia cierta de la secta de*

los fracmasones, su origen, etc., Madrid, 1813, y de Vicente de la FUENTE, *Historia de las sociedades secretas antiguas y modernas en España...*, Lugo, 1870, vol. I, pág. 152-155.

(19) "Pero otra vez, sin quererlo, me aparto de mi objeto, y no ha de ser así, sino que vuelvo atrás para deciros...". *Napoleón en Chamartín*, t. I, pág. 550.

(20) DIEGO RUMBLAR, hijo de la condesa doña María Castro de Oro de Afán de Ribera, condesa de Rumblar, aragonesa de nacimiento..." imagen del respeto antiguo, conservada para educar a las presentes generaciones". JUAN DE MAÑARA, corregidor de Madrid cuando el asedio de los franceses de 1808. "Acusado *vox populi* de traidor fue linchado por la multitud frenética, y arrastrado su cadáver por las calles de la Magdalena y Lavapiés". Todos ellos son personajes inventados por Galdós, sin embargo, bajo el nombre caprichoso de Juan de Mañara, Galdós parece ser que encubre la personalidad del marqués de Perales.

(21) *El Grande Oriente*, t. I, págs. 1479-1480.

(22) CARRETERO, *Don Benito Pérez Galdós*, Rev. Por esos mundos 1905, abril, pág. 348: "Yo había hecho bastante de este trabajo, que al principio me agradaba y ahora me molesta. No puede usted figurarse lo difícil y desesperante que es para el escritor colocar forzosamente dentro del asunto novelesco la ringla de fechas y los sucedidos históricos de un episodio".

(23) Por ejemplo la armazón histórica de *Trafalgar* parece ser que en gran parte está tomado del libro de Manuel MARLIANI, *Combate de Trafalgar*, Madrid, 1850. Incluso algunos retratos como los de Churruca y Alcalá Galiano que figuran en la edición ilustrada de los *Episodios* (Madrid, 1882) están tomados de este libro. Esto no impide que a la información impresa añadiera, en este caso, al igual que en otros, otra más sugestiva y viva, como la del viejo que había sido grumete en el navío Santísima Trinidad. Ciertamente en la segunda serie abundan más estos testimonios orales, empezando por don Ramón de Mesonero que con su gran memoria no sólo informaba a Galdós de los sucesos que había presenciado, sino que le indicaba la pista de otros testigos que le podían ayudar en su tarea. Sobre las fuentes de algunos de los episodios de la primera serie cfr. BATAILLON, M., *Les sources historiques de "Zaragoza"*, Bulletin Hispanique, 1921, XXIII, págs. 129-141; SARRAILH, Jean, *Quelques sources de "Cádiz" de Galdós*, ibidem, 33-48; VAZQUEZ ARJONA, C., *Cotejo histórico de cinco episodios nacionales de Benito Pérez Galdós*, Revue Hispanique, 1926, LXVIII, 321-550; *Un episodio nacional de B. Pérez Galdós, el 19 de marzo y el Dos de Mayo*, Bulletin Hispanique, 1931, XXXIII, 116-139; *Un episodio nacional de Galdós, Bailén*, Bulletin of Spanish Studies, 1932, IX, 116-123.

(24) Cfr. el capítulo IV de la Introducción: *La masonería española según Galdós*, y la nota 13.

(25) Cfr. nota 15.

(26) Cfr. nota 17.

(27) Cfr. nota 18.

(28) Cfr. nota 13.

(29) *Bailén*, t. I, págs. 508-509.

(30) *Napoleón en Chamartín*, t. I, pág. 573. Cfr. nota 20.

(31) *Ibidem*, pág. 598.

(32) *Ibidem*, pág. 626.

(33) *Ibidem*, pág. 630.

(34) *Cádiz*, vol. I, pág. 859.

(35) *Ibidem*, pág. 937.

(36) *La batalla de los Arapiles*, vol. I, pág. 1058. NICOLAS JUAN DE DIOS SOULT (1769-1851). Mariscal francés, duque de Dalmacia. Mandó en España el segundo Cuerpo de Ejército (1808).

(37) Cfr. nota 10.

(38) *La batalla de los Arapiles*, vol. I, págs. 1099-1100.

(39) *Ibidem.*

(40) *Ibidem*, págs. 1116-1117.

(41) *Ibidem*, pág. 1137.

(42) Señá FRASQUITA, personaje galdosiano que representa a la viejecilla de Babilafuente. Sólo aparece en este episodio de *La Batalla de los Arapiles.*

(43) *La batalla de los Arapiles*, vol. I., pág. 1137.

(44) *Ibidem*, págs. 1099-1100.

(45) "Masones y franceses todos son unos, la pata derecha y la izquierda de Satanás". *Ibidem*, pág. 1117; "... en expiación de las culpas de todos los masones y afrancesados de la península", *La batalla de los Arapiles*, t. I, pág. 1135.

(46) *Ibidem*, págs. 1123-1124.

(47) *Ibidem.*

(48) *Ibidem*, pág. 1143; *Napoleón en Chamartín*, t. I., págs. 549-550.

(49) Cfr. nota 20.

(50) *Napoleón en Chamartín*, t. I., págs. 549-550. Compárese esta escena de Galdós con lo que LA FUENTE, Vicente de, *op. cit.*, pág. 154, había publicado cuatro años antes: "D. Luis Ducós, Rector de San Luis de los franceses, en un folleto que escribió acerca de la francmasonería, dice que en la calle de Atocha núm. 11, casi en frente de San Sebastián, había una logia de caballeros *Rosa Cruz*; cuya descripción hace, apelando al testimonio de varios que lograron verla. "La logia *Rosa Cruz*, añade, es una sala bastante grande, toda enlutada, sin ventana alguna, y tan oscura, que nada se vé sino con luz artificial. Hay en el medio una gran mesa cubierta de un tapiz de terciopelo negro, sobre la cual hay un Cristo del tamaño de aquellos que vemos en nuestras iglesias con el letrero INRI: a los pies del Cristo se vé una calavera y alrededor los instrumentos de la francmasonería, como el compás, escuadra, llana, etc." ... pág. 155: "Cuando en 28 de agosto de 1812 salieron los franceses apresuradamente de Sevilla, el pueblo invadió la casa: hallóse un gabinete todo colgado de negro, un esqueleto sentado en un sillón de baqueta, apoyando su calavera sobre el descarnado puño, y un rótulo en la otra en que decía en francés *aprende a morir bien*".

(51) *La batalla de los Arapiles*, t. I, pág. 1143.

(52) *Ibidem.*

(53) FERNANDO VII (1784-1833). Hijo de Carlos IV. Reinó desde 1805 a 1835. La descripción que de él hace Galdós en boca de Juan Bragas es la siguiente: "Era un hombre admirablemente formado, de cuerpo estatuario y arrogante. Su edad no pasaría de los treinta y dos años, hallándose, según la apariencia, en aquella plenitud de la fuerza, del vigor y del desarrollo físico que marcan el apogeo de la vida. Vestía sencillo y elegante traje negro y ancha capa, que ... Sus ojos eran negros, grandes y hermosos, llenos de fuego, de no sé qué intención terrible, flechadores y relampagueantes. Bajo sus cejas, semejantes a pequeñas alas de cuervo, centelleaba, deshecho en ascuas mil por las movibles pupilas, el fuego de todas las pasiones violentas. Su nariz era desaforadamente grande, corva y caída; una especie de voluptuosidad, una crápula de nariz... El labio inferior, que avanzaba hacia afuera parecía indicar no sé qué insaciabilidad mortificante... Una línea más de desarrollo, y aquel belfo hubiera tocado en la caricatura... Por su mandíbula inferior se filiaba remotamente con Carlos V; mas por sus ojos truhanescos y las patillas cortas se iba derecho a la majadería. El cráneo era bien conformado; el pelo negro y corto, con mechoncillos vagabundos sobre la frente y sienes. En suma el perfil de aquel hombre solía verse en las onzas de oro".

(54) Pedro COLLADO pertenece a la galería de personajes que Galdós toma de la historia. Era aguador de la Fuente del Berro, y criado de confianza de Fenando VII.

(55) Pedro CEBALLOS (1764-1840), Ministro de Carlos IV al que

acompañó a Bayona, y de Fernando VII y embajador en Nápoles y Viena. Francisco Ramón EGUIA (1750-1827), Teniente General y Ministro de la Guerra en tiempos de Fernando VII. Enemigo de la Constitución. El Sr. MAJADERANO, mote que puso Gallardo en su periódico *La Abeja* a Juan ESCOIQUIZ (1763-1820) canónigo y preceptor de Fernando VII, y posteriormente Ministro de Gracia y Justicia.

(56) EL DUQUE DE ALAGON, en 1814 fue nombrado por Fernando VII capitán de los guardias de la Real persona. Vivía en Palacio y tenía gran influencia. Galdós lo describe diciendo que "era espejo de los libertinos de buena cepa, cabeza de los cortesanos y hombre de sutiles trazas para zurcir y descoser voluntades palaciegas".

(57) Bartolomé José GALLARDO (1776-1852). Gran bibliógrafo, de ideas liberales, sufrió persecuciones por parte de los gobiernos de Fernando VII. En el *Diccionario Crítico-burlesco del que se titula...* publicado por B.J. Gallardo, diputado a Cortes, en Madrid, el año 1838, en la voz *Francmasones* dice lo siguiente: "... A muchas personas oigo hablar de francmasones; pero yo, aunque más diligencias he hecho por ver que casta de pájaros son, jamás he columbrado ninguno. Dicen que son como los cáravos, aves nocturnas: serán todo lo que se quiera, menos cosa buena; que si buenos fueran, no se esconderían ellos tanto de los hombres de bien...".

(58) Señor de PIPAON, es el mote correspondiente a Juan Bragas, amigo íntimo y confidente de Salvador Monsalud. Ambos son personajes de ficción de Pérez Galdós.

(59) Eugenio Eulalio Portacarrero Palafox, conde del MONTIJO. Encubierto con el nombre de *tío Pedro* participó en el motín de Aranjuez –19 de marzo 1808– contra Carlos IV, Mª Luisa y el Príncipe de la Paz. Sobre este personaje, y su entorno familiar, cfr. Paula de DEMERSON, *María Francisca de Sales Portocarrero, condesa del Montijo. Una figura de la Ilustración*, Madrid, Ed. Nacional, 1975.

(60) *Memorias de un cortesano de 1815*, t. I., pág. 1333.

(61) ANONIMO, *¿Hay o no hay fracmasones?*, Cádiz, Impr. Vda. de Comes, 1812.

(62) ALCALA GALIANO, *Recuerdos de un anciano*, Madrid, B.A.E., vol. 83, 1955, pág. 210. También Vicente de LA FUENTE, *op. cit.*, t. I, pág. 199 habla del Oriente de Granada presidido por el conde del Montijo.

(63) Antonio de UGARTE (1780-1827) fue uno de los consejeros más estimados de Fernando VII. Estuvo preso en el Alcázar de Segovia por la compra de los barcos rusos inservibles. Fue liberado en 1820.

(64) *Memorias de un cortesano de 1815*, t. I, pág. 1338.

(65) ECHAVARRI, Ministro de Seguridad Pública con Fernando VII en 1814.

(66) Juan PEREZ VILLAMIL (1754-1824), Ministro de Hacienda de Fernando VII en 1814. Junto al famoso alcalde de Móstoles inició el alzamiento nacional de 1808. Tomás MOYANO, ministro de Fernando VII. Pedro MACANAZ (1760-1820), Ministro de Gracia y Justicia en 1814. Sobre ESCOIQUIZ cfr. nota 55. Francisco LOPEZ BALLESTEROS (1770-1833), Ministro de la Guerra de Fernando VII en 1814.

(67) *Memorias de un cortesano de 1815*, t. I, 1342.

(68) Ignacio MARTINEZ VILLELA, Magistrado muy afecto a Fernando VII, Consejero de Castilla y hombre muy metido en Palacio. Se decía que era masón.

(69) Buenaventura IMAZ, marqués de Mataflorida, del Real Consejo de Estado. En 1822 uno de los tres regentes del Trono y el Altar. Galdós lo presenta como "familiar de la Inquisición, hombre cruel, y absolutista tan fanático, que se pasaba la vida buscando masones por todos lados, y averiguando picardías de liberales para contárselas al Rey. Tenía en 1819 gran privanza en Palacio". *La segunda casaca*, t. I., pág. 1373.

(70) Juan Esteban LOZANO DE TORRES (1761-1827?), Ministro de Gracia y Justicia.

(71) *La segunda casaca*, t. I., págs. 1376-1377.

(72) *Ibidem*, pág. 1373.

(73) cfr. nota 58.

(74) *La segunda casaca*, t. I., pág. 1388.

(75) Cfr. nota 8.

(76) Eusebio POLO, oficial de Estado Mayor y conspirador (1818) contra Fernando VII. MANZANARES, Oficial de Estado Mayor, liberal y conspirador. En 1831 hizo un aparatoso desembarco en San Fernando con unos cuantos marinos sublevados.

(77) *La segunda casaca*, t. I., pág. 1378.

(78) *Ibidem*, págs. 1363-1364.

(79) *Ibidem*, pág. 1392.

(80) *Ibidem*.

(81) *Ibidem*, pág. 1391.

(82) Juan DIAZ PORLIER (1788-1815). Guerrillero español y jefe militar de gran valía. Fue ajusticiado en La Coruña por sus ideas liberales. Luis de LACY (1775-1817) jefe militar fusilado en el castillo de Bellver (Mallorca) acusado de conspiración contra el Gobierno. José Mª TORRIJOS (1791-1831), Brigadier famoso por participar en el levantamiento contra las tropas francesas en Madrid el 2 de mayo de 1808 y su destacada actuación en la batalla de Vich (1810) a las órdenes de Wellington. Por su ideología liberal tuvo que refugiarse en Inglaterra. En 1831, a raíz de su desembarco en las playas de Málaga, fue hecho prisionero y fusilado con todos sus compañeros.

(83) *La segunda casaca*, t. I., pág. 1394.

(84) Cfr. nota 70.

(85) *La segunda casaca*, t. I., pág. 1413.

(86) *Ibidem*, págs. 1412-1413.

(87) *Ibidem*, pág. 1408.

(88) Juan BRAGAS, personaje galdosiano, presentado como amigo íntimo y confidente de Salvador Monsalud. Es el narrador de *Las Memorias de un cortesano de 1815*, y *La segunda casaca.*

(89) *La segunda casaca*, t. I., pág. 1401.

(90) *Ibidem*, pág. 1418.

(91) *Ibidem*, pág. 1426.

(92) *Ibidem*, pág. 1430.

(93) *Ibidem*.

(94) Rafael del RIEGO (1785-1823), General sublevado en Cabezas de San Juan para imponer a Fernando VII la Constitución. Fue ahorcado en Madrid años después. Antonio QUIROGA (1784-1841) Marino de ideas liberales. Mandaba el batallón *España*, se sublevó en 1820 en connivencia con Riego. Llegó a ser Capitán General de Castilla la Nueva.

(95) *La segunda casaca*, t. I., pág. 1453.

(96) *Ibidem*, pág. 1359.

(97) Francisco Javier ELIO (1767-1822). General absolutista. Durante el período liberal fue condenado a la pena de garrote. Conde de LA BISBAL, político liberal. Mandó una de las divisiones españolas que se opusieron en 1823

a los "Cien mil Hijos de San Luis".

(98) *La segunda casaca*, t. I., págs. 1359-1360.

(99) Cfr. notas 63 y 8.

(100) *La segunda casaca*, t. I., pág. 1428.

(101) Cfr. nota 68.

(102) *La segunda casaca*, t. I., pág. 1373.

(103) Cfr. nota 69.

(104) D. Buenaventura Imaz. Cfr. nota 69.

(105) Juan Esteban Lozano de Torres. Cfr. nota 70.

(106) *La segunda casaca*, t. I., págs. 1387-1388.

(107) *Ibidem*, págs. 1389-1390.

(108) Jenara BARAONA —personaje de ficción—, novia de Salvador Monsalud, llamada también por él Generosa. Moza de gran fibra patriótica. Es la protagonista narradora de *Los Cien mil Hijos de San Luis*.

(109) *La segunda casaca*, t. I., pág. 1380.

(110) *Ibidem*, pág. 1415.

(111) Cfr. nota 69.

(112) *La segunda casaca*, t. I., pág. 1423.

(113) *Ibidem*, pág. 1383.

(114) *Memorias de un cortesano de 1815*, t. I., pág. 1285.

(115) Doña María de la Paz PORREÑO, hermana del marqués de Porreño, personajes ambos galdosianos: "Era doña Paz mujer de corpulencia tan grave, tan ceñuda, tan rigurosa, enemiga feroz de toda clase de libertades".

(116) *Memorias de un cortesano de 1815*, t. I., pág. 1301.

(117) *El equipaje del rey José*, t. I., pág. 1192.

(118) *Memorias de un cortesano de 1815*, t. I., pág. 1283.

(119) *La segunda casaca*, t. I., pág. 1393.

(120) *Ibidem.*

(121) *Ibidem*

(122) Hermano Durmiente: estado en el que se encuentra un masón que ha interrumpido su trabajo masónico regular sin perder, sin embargo, sus derechos masónicos. *El Grande Oriente*, t. I., pág. 1463.

(123) Patricio SARMIENTO, personaje galdosiano: "Sesenta años muy cumplidos ... Tenía una escuela de niños en la calle de *Coloreros* hacia 1821. En el fondo era una excelente persona, pero estaba cegado... por la pasión política... Desesperado por la muerte de su hijo se entrega a la política y termina su existencia en la horca de la Plaza de la Cebada con muerte digna de un antiguo héroe". Su fin (según Galdós) está inspirado en el de don Pablo Iglesias, ahorcado el 24 de agosto de 1825.

(124) *El Grande Oriente*, t. I., pág. 1464.

(125) *Ibidem*, pág. 1479.

(126) ARISTOGITON (siglo VI a. J.C.) célebre ateniense que con Harmodio y otros jóvenes, luchó contra los tiranos Hippias e Hiparco. Era el nombre que tomó Salvador Monsalud entre los masones.

(127) Matías VINUESA (+ 1821). Conocido por *el cura de Tamajón*. Se adhirió al régimen absolutista con todo entusiasmo. Conspiró contra el régimen liberal, y el pueblo le linchó.

(128) *El Grande Oriente*, t. I., pág. 1484.

(129) *Ibidem*, pág. 1485.

(130) *Ibidem*, pág. 1486.

(131) *Ibidem.*

(132) *Ibidem.*

(133) *Ibidem*, pág. 1479.

(134) *Templo*: Local en el que se reune la logia. *Descubrir el Templo*: Abrir la logia, es decir, los trabajos masónicos. *Tenida*: Reunión de trabajo de una logia. *Hijos de la Viuda*: Los masones.

(135) *Luz astral*: Alusión al sol y la luna y a las horas simbólicas en que se abren y cierran las logias. *Arte Real*: Nombre dado a la masonería considerada como una ascesis o ideal de vida.

(136) Referencia a los diversos grados masónicos: *Maestro perfecto* (gra-

do 5º), *Príncipe del Líbano* (grado 22º), *Caballero Kadosch* (grado 30º) ... *Caballero Rosa Cruz* (grado 18º).

(137) *Hermano Terrible*: El que conduce a la Cámara de reflexión a los neófitos, les entrega las preguntas, recoge sus respuestas... y acompaña durante toda la ceremonia de iniciación. *Hermano Sirviente*: El encargado de preparar todo lo necesario para la celebración de la logia, o tenida.

(138) *Agape*: Banquete fraternal desprovisto de todo ritual, organizado tras la tenida de la logia. En este caso *ágape doméstico* se refiere a la comida o cena realizada privadamente por los masones en sus respectivas casas antes de acudir a la logia. *Mopses* en el sentido que le da Galdós significa las mujeres de los masones. *Lovetones*: Los hijos de los masones. *Verdadera luz*: La Luz es el centro de la enseñanza masónica. Aquí la expresión está tomada como sinónimo de reunión masónica.

(139) *Estrellas*: aquí es equivalente de luces. *Mirto eleusiaco* forma de designar los aromas ambientales.

(140) *Ossé*: Palabra de paso utilizada en algunas épocas. *Bóvedas orientales* Alusión a los locales de la logia.

(141) *Caverna de Mithra*: sinónimo de Universo. *Mantua*: Forma masónica de designar Madrid.

(142) *Tres Cruces*: Alusión a la logia que se creía existía en aquella época en dicha calle, conocida popularmente como la Logia de las tres Cruces. Entre los papeles de la Inquisición del año 1811 se conservan denuncias y listas de presuntos miembros de la logia de las tres cruces de Madrid. LLORENTE, *Histoire de l'Inquisitión d'Espagne,* tomo 4º, pág. 145 la cita, y Vicente de LA FUENTE, *op. cit.,* t. I., pág. 154 se hace eco de ella: "Llorente añade, que todo el mundo sabía en Madrid que la logia masónica estaba en la calle de las Tres Cruces". Una vez más la fuente de información de Galdós resulta ser la *Historia de las sociedades secretas* de La Fuente.

(143) *El Grande Oriente*, t. I., págs. 1476-1477.

(144) Bartolomé CANENCIA, personaje de ficción galdosiana que representa a un viejo masón afrancesado, amigo de Santorcaz. Muy dado a las filosofías de Voltaire y Rousseau. Figura como tesorero del Grande Oriente madrileño, con el nombre de *Sócrates*. Cuando la reacción absolutista, impuesta por los Cien mil Hijos de San Luis, Galdós le hace morir después de ser arrastrado por la calle de Sevilla.

(145) *El Grande Oriente*, t. I., pág. 1477.

(146) *Ibidem*, pág. 1482.

(147) José CAMPOS, también criatura galdosiana es presentado como

Director de Correos, Masón, y amigo de Monsalud y Canencia. Venerable de Logia con el nombre de *Cicerón*.

(148) *El Grande Oriente*, t. I., pág. 1513.

(149) Salvador Monsalud. Cfr. nota 8.

(150) *El Grande Oriente*, t.I., pág. 1514.

(151) *Ibidem*, pág. 1463.

(152) *Ibidem*, págs. 1477-1478.

(153) *Ibidem*, pág. 1478.

(154) *Ibidem*, págs. 1478-1479.

(155) *Ibidem*, pág. 1479.

(156) *Ibidem.*

(157) Cfr. nota 125.

(158) Bartolomé Canencia. Cfr. nota 144.

(159) El Grande Oriente, t.I., págs. 1480-1481.

(160) *Ibidem*, pág. 1481.

(161) *Ibidem*, págs. 1482-1483.

(162) I Reyes 7, 21-22.

(163) *El Grande Oriente*, t.I., pág. 1482.

(164) *Ibidem*, pág. 1483.

(165) *Ibidem*, pág. 1484.

(166) *Ibidem.*

(167) *Ibidem*, pág. 1488.

(168) *Ibidem.*

(169) *Ibidem.*

(170) *Ibidem*, pág. 1489.

(171) José Manuel del REGATO, doble agente de la policía de Fernando VII, y uno de los fundadores de los Comuneros. Sobre esta interesante figura cfr. PEJENAUTE, Pedro, *Trayectoria y testimonio de José Manuel del Regato*, Pamplona, 1978.

(172) *El Grande Oriente*, t.I., págs. 1492-1493.

(173) *Ibidem*, pág. 1464.

(174) Juan de PADILLA (1490?-1521) Caudillo de los Comuneros de Castilla. Decapitado en Villalar. Juan de LANUZA (1530?-1591) Justicia Mayor de Aragón y defensor de los fueros aragoneses. Decapitado en Zaragoza por orden de Felipe II.

(175) *El Grande Oriente*, t.I., págs. 1464-1465.

(176) *Ibidem*, pág. 1518.

(177) *Ibidem*, págs. 1520-1521.

(178) *Ibidem*, pág. 1493.

(179) Diego MUÑOZ TORRERO (1761-1829) Político y sacerdote. Gran orador. Diputado en las Cortes de Cádiz, en las que fue el primero en hablar.

(180) *El Grande Oriente*, t.I., pág. 1521.

(181) *Ibidem*, pág. 1518.

(182) *Ibidem*, pág. 1539.

(183) *Ibidem*, pág. 1474.

(184) *Ibidem*, págs. 1464 y 1512.

(185) *Ibidem*, págs. 1488 y 1538. Juan ROMERO ALPUENTE (1752-1836?) Político liberal. Antonio ALCALA GALIANO (1779-1865), político orador y escritor. Presidió las Cortes de Cádiz, en que propuso la incapacidad de Fernando VII. Ministro en el Gabinete de Istúriz (1836). Agustín ARGUELLES (1776-1884) Diputado en las Cortes de Cádiz. Ministro de Gracia y Justicia (1823). Presidente del Consejo (1836) a la caída de Istúriz. FELIU, político liberal preso en 1814, y ministro durante el período liberal (1821). REGATO, cfr. nota 171. VINUESA, cfr. nota 127. RIEGO, cfr. nota 94. Manuel CANO, diputado liberal apresado en 1823. CONDE DE TORENO [José M[a] Queipo de Llano] (1786-1843) Político, literato e historiador. Manuel José QUINTANA (1772-1857) Poeta y prosista. La reina Isabel II le coronó en 1856. Fue su ayo y preceptor de estudios en 1841. Jerónimo VALDES, político liberal. Regresó a España en 1830 protegido por el rey de Francia, Luis Felipe. Fue Ministro de la

Guerra con Isabel II –durante la Regencia de Mª Cristina– en 1835. Evaristo SAN MIGUEL (1785-1862) General, político y escritor. Fue ministro y académico de la Historia. Alvaro FLORES ESTRADA (1769-1853) Publicista, político y economista asturiano. Fue presidente del Senado durante el reinado de Isabel II.

(186) *El Grande Oriente*, t.I., pág. 1526.

(187) *Ibidem*, pág. 1538.

(188) Fray Cirilo de ALAMEDA, general de los franciscanos y después arzobispo relacionado con la masonería según la versión de Alcalá Galiano, hecho que desmintió de modo enérgico el propio fraile.

(189) Cfr. nota 55.

(190) *Los Cien mil Hijos de San Luis*, t.I., pág. 1636.

(191) *Ibidem*, pág. 1664.

(192) *Ibidem*.

(193) Francisco Tadeo CALOMARDE (1773-1842). Secretario de la Regencia en 1823 y Ministro de Gracia y Justicia de 1824 a 1833.

(194) *Los Cien mil Hijos de San Luis*, t.I., págs. 1664-1665.

(195) *Ibidem*, pág. 1680.

(196) Patricio de la ESCOSURA (1807-1818). Poeta, político y capitán de Artillería. Llegó a ser ministro de la Gobernación, académico y representante de España en Berna.

(197) Ventura de LA VEGA, al que Galdós presenta como VEGUITA. Uno de los fundadores de la Sociedad Secreta *Los Numantinos* (1829) que conspiraba contra Fernando VII.

(198) *Los Apostólicos*, t.II, pág. 140.

(199) *Los Cien mil Hijos de San Luis*, t.I., pág. 1662.

(200) *Ibidem*, págs. 1684-1685.

(201) *Ibidem*, pág. 1664.

(202) *Ibidem*, pág. 1667. Francisco Javier ESPOZ Y MINA (1789-1817) famoso guerrillero.

(203) *Ibidem*, pág. 1706.

(204) Carlos María Isidro DE BORBON, Infante don (1788-1855). Segundo hijo de Carlos IV. Carlos María Isidro fue el fundador del *carlismo*, inició la guerra de los siete años (1833 a 1840) y se tituló Carlos V.

(205) Pepet ARMENGOL, personaje galdosiano, nieto de José Armengol —sacristán de las dominicas de Solsona— y sacristán él *por herencia.*

(206) *Un voluntario realista*, t. II., págs. 18-19.

(207) *Los Apostólicos*, t. II, pág. 162.

(208) *Un voluntario realista*, t.II, pág. 81.

(209) *Un faccioso más y algunos frailes menos*, t. II., pág. 289.

(210) *Un voluntario realista*, t. II, pág. 59.

(211) Cfr. nota 193.

(212) *Los Apostólicos*, t.II, pág. 129.

(213) *Un voluntario realista*, t.II., pág. 91.

(214) Cfr. nota 175.

(215) *Los Apostólicos*, t.II., pág. 159.

(216) *Ibidem*, pág. 163.

(217) *Un voluntario realista*, t. II, pág. 79.

(218) *Ibidem*, pág. 84.

(219) *Ibidem*, pág. 94.

(220) *Ibidem*, pág. 92.

(221) *Un faccioso más y algunos frailes menos*, t.II, pág. 224.

(222) *Ibidem*, pág. 228.

(223) *Ibidem*, pág. 230.

(224) *Ibidem*, pág. 270.

(225) *Ibidem*, pág. 280.

(226) Eugenio de AVINARETA, conspirador y fundador de la Sociedad Isabelina. Fue también el héroe de muchas novelas de Pío Baroja. Sus propósi-

tos políticos fueron poco claros. En 1844 conspiraba en favor de una Constitución moderada bajo el patrocinio de don Francisco, tío de la reina. Sin embargo la Sociedad Isabelina estaba compuesta de los radicales más exaltados.

(227) *Un faccioso más y algunos frailes menos*, t.II, pág. 281.

(228) *Ibidem*, pág. 282.

(229) *Ibidem*, pág. 282.

(230) *Ibidem*, pág. 288.

(231) *Ibidem*, pág. 290.

(232) *Ibidem*, pág. 292.

(233) El padre GRACIAN, jesuita del Colegio Imperial –personaje de ficción de Galdós– asesinado en 1834 a raíz de los asaltos por parte del pueblo a los conventos de Madrid.

(234) *Un faccioso más y algunos frailes menos*, t.II., pág. 321.

(235) *Un voluntario realista*, pág. 83.

(236) MARIA CRISTINA DE BORBON (1806-1878). Hija del rey de Nápoles y Dos Sicilias. Cuarta esposa (1829) de Fernando VII, y Regente de su hija Isabel II durante su minoría de edad.

(237) *Los Apostólicos*, t. II., pág. 109.

(238) *Ibidem*, pág. 122.

(239) *Ibidem*, pág. 123.

(240) Salvador Monsalud. Cfr. nota 8.

(241) *Un faccioso más y algunos frailes menos*, t. II, pág. 239.

(242) *Ibidem*, pág. 240.

(243) *Ibidem*, pág. 268.

(244) *Ibidem*, pág. 228.

(245) *Ibidem*, pág. 236.

(246) *Un voluntario realista*, t.II., pág. 19.

(247) *Un faccioso más y algunos frailes menos*, t. II., pág. 326.

(248) *Episodios Nacionales.* Tercera serie, t. II, pág. 328.

(249) SAINZ DE ROBLES, Federico Carlos, *Introducción a las Obras Completas de Pérez Galdós*, Madrid, Aguilar, 1970, t.I., págs. 144-145.

(250) MONTESINOS, José F. *op. cit.*, Galdós I, Madrid, Castalia, 1968, pág. 157.

(251) Si exceptuamos los episodios extremos: *Zumalacárregui*, escrito 63 años después de la muerte del general carlista, y *Cánovas*, a sólo 15 años de la muerte del político alfonsino, Galdós sí logra mantener en la mayor parte de los episodios una distancia media de 30 o 40 años, como en el caso de *Mendizábal, Amadeo I, La primera República*... Los mismos sucesos relatados en *Cánovas* también guardan esa distancia, ya que se refieren a los primeros años de la restauración.

(252) Citado por SAINZ DE ROBLES, *op. cit.*, pág. 151.

(253) No obstante en esta serie, al igual que en las anteriores, el primer episodio –en este caso *Zumalacárregui*– viene a ser como un prólogo de los demás, con una trama en cierto sentido independiente en lo novelístico, siendo el protagonista un sacerdote: José Fago (Cfr. nota 260). Sobre el romanticismo tiene Galdós en el episodio *Mendizábal* unas frases bastante significativas: "Bueno: le concedo a usted que esto sea patriotismo; pero es un patriotismo... romántico, y lo romántico sepa usted que a mí no me gusta. En literatura me apesta, y a ese francés que llaman Víctor Hugo le mandaría yo cortar el pescuezo: en política tengo por más funesto aún el romanticismo". [*Mendizábal*, t. II, pág. 443]. "... Pues tienen la culpa Victor Hugo y Dumas, esos dos infames progenitores del romanticismo ... ¡El romanticismo! Ese es el remolino, ése es el vértigo, ésa es la locura... ¡Dumas, Victor Hugo!..., son dos grandes poetas... –Que han desatado las tempestades en nuestra literatura, y tras el desquiciamiento de la literatura ha venido el de la política, y luego el de la vida toda... Yo, a esos dos, les mandaría cortar la cabeza, sin cargo alguno de conciencia, como a malhechores del género humano y me quedaría tan fresco... [*Ibidem*, pág. 454].

(254) SALOMA o Salomé ULIBARRI, uno de los personajes de ficción de Galdós, de ideas liberales. Pascual MURUVE, alias MEDIAGORRA, partidario de los cristinos, novio de la Saloma de Borja, muy bravo defendiéndose en Villafranca. Sería fusilado por los carlistas.

(255) El tío ZAMARRA, apodo dado por la bizarra moza de Borja, Saloma, a Zumalacárregui.

(256) *Zumalacárregui*, t. II., pág. 345.

(257) *Ibidem.*

(258) Cfr. nota 82.

(259) GONZALEZ MORENO. Apostólico, Gobernador militar de Málaga. Fue quien ordenó fusilar a Torrijos. Se unió al Pretendiente, en 1834, y fue uno de sus más decisivos consejeros. Murió linchado cerca de Urdax, al intentar huir a Francia, después del *abrazo de Vergara* (1838).

(260) José FAGO, protagonista de ficción del episodio *Zumalacárregui*. Clérigo que asistió al alcalde de Miranda de Arga, Ulibarri, en sus últimos momentos, fusilado por orden de Zumalacárregui (1834). Antes de ser sacerdote, había seducido y abandonado a Saloma, hija de dicho alcalde, don Adrián. Cura castrense, fue agregado al cuerpo carlista.

(261) Fructuoso ARESPACOCHAGA Y VIDONDO, del Cuartel real de don Carlos María Isidro (1834).

(262) *Zumalacárregui*, t. II., pág. 392.

(263) *Ibidem*, pág. 395.

(264) Nicomedes IGLESIAS, personaje galdosiano que representa un manchego de Daimiel, que abandona su hacienda por buscar un arrimo político en la Corte.

(265) Juan de Dios ALVAREZ DE MENDIZABAL (1790-1853). Ministro de Hacienda en 1835, 1836 y 1842. Se hizo célebre, sobre todo, por su ley de desamortización de los bienes de comunidades eclesiásticas.

(266) *Mendizábal*, t. II., págs. 436-437.

(267) Cfr. nota 94. Arco AGUERO uno de los jefes militares sublevados en 1820 junto con Riego y Quiroga.

(268) *Mendizábal*, t. II., pág. 439.

(269) Cfr. nota 185.

(270) Francisco Javier de ISTURIZ (1790-1871) Político gaditano, liberal y gran patriota. En su casa se preparó el golpe militar de Riego. Fue Presidente de la Cámara Popular, del Consejo, y Ministro de Estado. Vicente BERTRAN [BELTRAN] DE LIS, conspirador liberal y comerciante.

(271) *Mendizábal*, t.II., pág. 439.

(272) Fernando CALPENA, protagonista de la tercera serie de los episodios. Galdós lo presenta como hijo natural del príncipe Poniatowsky y de Pilar de Loaysa, marquesa de Arista. Dentro de la ficción de la novela aparece como protegido pro Espartero.

(273) *Mendizábal*, t.II., págs. 439-440.

(274) Miguel de BRAGANZA (1802-1866). Rey de Portugal (1831), hijo de Juan IV. Fue destronado por don Pedro, emperador del Brasil.

(275) Cfr. nota 204. *Mendizábal*, t.II, págs. 442-443.

(276) Cfr. nota 264.

(277) Todas la veces que la cita Galdós, lo hace como lugar donde tenían logia los masones, sin bajar a más detalles.

(278) *Mendizábal*, t.II., pág. 447.

(279) Infante don FRANCISCO DE PAULA ANTONIO DE BORBON (1794-1865). Hijo de Carlos IV. Su viaje a Francia fue la causa inmediata del famoso levantamiento madrileño del 2 de mayo de 1808. Se casó con la infanta doña Carlota, hermana de la reina María Cristina.

(280) Infanta doña LUISA CARLOTA DE BORBON (1804-1844). A raiz de los sucesos de La Granja (1832) se le atribuyó la anécdota de la famosa bofetada a Calomarde, y lo de "manos blancas no ofenden", no confirmado en las fuentes revisadas hoy día por los historiadores.

(281) Pedro HILLO, personaje de ficción galdosiano, clérigo al servicio de Pilar de Loaysa, marquesa de Arista y tutor de Fernando Calpena. Cfr. nota 272.

(282) Joaquín Mª LOPEZ (1798-1855). Político, escritor y jurista. Fue alcalde de Madrid y Presidente del Consejo de Ministros.

(283) Fermín CABALLERO (1800-1876). Literato, erudito y político. Fue diputado y dos veces Ministro de la Gobernación.

(284) *Mendizábal*, t.II, pág. 450.

(285) En el capítulo XV (*Ibidem*, pág. 479) vuelve a salir el nombre de Dracón.

(286) *Ibidem*, pág. 453. Jacoba ZAHON, personaje de ficción galdosiano, presentada como una vieja jorobada de sesenta años dedicada a la compra venta de piedras preciosas.

(287) Fernando Calpena. Cfr. nota 272.

(288) *Mendizábal*, t.II., pág. 454.

(289) Antonio ALCALA GALIANO, cfr. nota 185. Antel SAAVEDRA RAMIREZ DE BAQUEDANO, duque de Rivas (1791-1865) Poeta, militar y político. Ministro en el Gabinete de Istúriz (1836) y presidente del Consejo de Ministros durante unos días. CONDE DE TORENO, cfr. nota 185. Francisco

MARTINEZ DE LA ROSA (1787-1862) Político, novelista y autor dramático. Embajador en Roma. Presidente del Congreso, ministro de Estado y presidente del Gobierno y de la Real Academia Española. Salustiano OLOZAGA (1805-1873). Fue varias veces presidente del Consejo de Ministros.

(290) *Mendizábal*, t. II., pág. 473.

(291) *Ibidem.*

(292) Jacoba ZAHON, cfr. nota 286. Jose del MILAGRO, también personaje de ficción, vejete funcionario en el Ministerio de Hacienda (1835).

(293) Cfr. notas 282 y 283.

(294) Cfr. nota 226.

(295) Cfr. nota 82.

(296) Vicente GONZALEZ ARNAO, político y periodista. Leandro FERNANDEZ DE MORATIN (1760-1828) Autor dramático, entre cuyas obras destacan *El sí de las niñas, La comedia nueva* y *La mojigata.*

(297) Cfr. nota 270.

(298) *Mendizábal*, t. II., pág. 478.

(299) "Bueno; desde ayer sospecho que esos malditos *anilleros* nos engañan. Siempre han sido lo mismo. Cuando están fuera del poder, nos buscan, nos agasajan, se arriman a la *exaltación*". *Ibidem*, pág. 479.

(300) Cfr. nota 281.

(301) Mendizábal, t.II., pág. 526.

(301 bis) *Ibidem*, pág. 527.

(301 ter) *Ibidem*, págs. 509 y 530.

(302) *Ibidem*, pág. 550.

(303) Doctor Teodoro GELOS. Asistió a Zumalacárregui en Durango de la herida recibida en el sitio de Bilbao. Médico de cámara del pretendiente y vocal de la Junta Superior Gubernativa de Medicina y Cirujía del Ejército (1836), en Oñate.

(304) *De Oñate a la Granja*, t.II., pág. 608.

(305) *Ibidem*, pág. 607.

(306) *Ibidem*, pág. 618.

(307) Ceferino IBARBURU, capellán de las tropas de Zumalacárregui y posteriormente Secretario del Despacho de Gracia y Justicia del Pretendiente en Oñate (1836).

(308) *De Oñate a la Granja*, t. II, pág. 621.

(309) *Ibidem*, t. II., pág. 570.

(310) José ESPRONCEDA (1809-1842). Uno de los más leídos poetas románticos españoles, del que Galdós hace una breve, pero expresiva descripción.

(311) *De Oñate a la Granja*, t. II., pág. 598.

(312) Cfr. nota 281.

(313) Fray CRISOSTOMO DE CASPE. Organista de Vitoria, en Zaragoza.

(314) *De Oñate a la Granja*, t.II., pág. 552.

(315) *Ibidem.*

(316) *Ibidem*, pág. 574.

(317) *Ibidem*, pág. 611.

(318) *Ibidem*, pág. 552.

(319) *Ibidem*, pág. 557.

(320) *Ibidem*, pág. 559.

(321) Fernando FERNANDEZ DE CORDOBA (1809-1883). Capitán General. Estratega y escritor. Combatió a los carlistas en la primera guerra civil. Fue ministro de la Guerra y Presidente del Consejo de Ministros. Publicó sus *Memorias íntimas.*

(322) *De Oñate a la Granja*, t. II., pág. 564.

(323) Zoilo RUFETE, personaje galdosiano, masón y amigo de Avinareta.

(324) *De Oñate a la Granja*, t. II., pág. 566.

(325) *Ibidem*, pág. 568.

(326) *Ibidem*, pág. 579.

(327) *Ibidem*, pág. 587.

(328) *Ibidem*, pág. 591.

(329) Cfr. nota 270.

(330) Cfr. nota 289.

(331) Cfr. nota 185.

(332) Cfr. nota 264.

(333) *De Oñate a la Granja*, t.II., págs. 592-593.

(334) *Ibidem*, pág. 607.

(335) *Ibidem*, pág. 562.

(336) Príncipe DON CARLOS, conde de MONTEMOLIN. Pretendiente con el título de Carlos VI. Hijo de don Carlos María Isidro de Borbón.

(337) *De Oñate a la Granja*, t. II., pág. 615.

(338) Cfr. nota 226.

(339) *De Oñate a la Granja*, t.II., pág. 568.

(340) *Ibidem*, pág. 567. Francisco ["RESPLANDOR"]. Cabo de vara de la cárcel del *Saladero*, que hacía muy buenas migas con los presos políticos revolucionarios, en el mundo de ficción de Galdós.

(341) *Ibidem*, pág. 568.

(342) *Ibidem*, pág. 569.

(343) CANENCIA, personaje de ficción galdosiano. Joven romántico y conspirador.

(344) *Ibidem*.

(345) *Ibidem*.

(346) *Ibidem*, pág. 555.

(347) *Luchana*, t. II, pág. 672.

(348) Agustín Fernando MUÑOZ, duque de Riánsares y marqués de San

Agustín (1808-1873). Se casó con doña María Cristina de Borbón, reina regente de España, viuda de Fernando VII.

(349) *Luchana*, t.II., pág. 672.

(350) Demetria CASTRO-AMEZAGA, personaje galdosiano, de 20 años de edad, hija de don Alonso quien maltratado por los carlistas murió en las ruinas del monasterio de Aránzazu, dejando encomendadas sus hijas Demetria y Gracia a Fernando Calpena.

(351) *Luchana*, t.II., pág. 681.

(352) Alejandro GOMEZ, Juan LUCAS e Higinio GARCIA, los sargentos sublevados en La Granja en 1836. Alejandro Gómez es el que subió a Palacio a entrevistarse con la Reina Gobernadora acompañado de Juan Lucas. Higinio García era escribiente en La Granja del conde de San Román, comandante general del Real Sitio.

(353) *Luchana*, t.II., pág. 687.

(354) Bonifacio GAY, personaje de ficción, que Galdós sitúa en Leciñena del Camino, a legua y media de Miranda de Ebro. Era herrero y fundidor en la Maestranza carlista.

(355) Ildefonso NEGRETTI, también personaje galdosiano, representa al dueño de una joyería en Bayona, y amigo de Mendizábal.

(356) *Luchana*, t.II., pág. 356.

(357) *Ibidem.*

(358) Beltrán de URDANETA, personaje galdosiano, gran conspirador y caballeresco aventurero. Es presentado como "un simpático y noble anciano, de buena estatura, algo rendido al peso de la edad, de afable rostro y modales finísimos, revelando en todo el alto nacimiento y el refinado trato social".

(359) Ramón CABRERA (1806-1877). General al servicio de la Causa o carlismo.

(360) *La campaña del Maestrazgo*, t.II., pág. 892.

(361) CARR, R., *España. 1808-1939*, Barcelona, Ariel, 1970, págs. 144-145: "A partir de agosto de 1822, con el eclipse de los liberales moderados, el gobierno quedó en manos de quienes afirmaban haber hecho la revolución de 1820, es decir, los jóvenes *masones* y oficiales del ejército encabezados por el coronel Evaristo de San Miguel... El gobierno de San Miguel, dictadura de la izquierda militar, tuvo en su contra la oposición de los liberales moderados, y del radicalismo "sans culotte", de los comuneros de Romero Alpuente... Conforme se iba haciendo cada vez más claro que las potencias reaccionarias estaban a pun-

to de destruir la Constitución española con una invasión militar, la situación parecía desde luego justificar una reacción patriótica defensiva, según el modelo *jacobino* (que propugnaba Romero Alpuente)".

(362) *El Grande Oriente*, t.I, pág. 1492: "... nos espantamos... que arrastrara fuera del orden a esos desgraciados fundadores de la gárrula comunería, y que ahora, después que forman iglesia aparte, les incite contra nosotros, les predique la anarquía, el desorden, convirtiéndoles en desalmados *jacobinos*".

(363) Cfr. nota 236.

(364) Pilar de LOAYSA, condesa de Arista. Condesa-duquesa de Cardeña y Ruy-Díaz... Personaje de ficción galdosiano. Una de las damas más linajudas y hermosas de la rancia aristocracia española. Madre de Fernando Calpena, al que tuvo de soltera, en unos amores apasionados con el príncipe polaco Poniatowsky. Es la figura femenina más destacada de la tercera serie de los Episodios, a partir de *Mendizábal*.

(365) *La estafeta romántica*, t. II., pág. 947.

(366) Cfr. nota 358.

(367) *La estafeta romántica*, t.II., pág. 988.

(368) *Ibidem*.

(369) *Ibidem*.

(370) FERNANDO II, rey de las Dos Sicilias en 1830, había nacido en Palermo (1815-1859).

(371) Anibal RAPELLA, confidente del rey de Nápoles. Natural de Palermo, se estableció en Madrid y fue utilizado como correo del rey para traer y llevar recados a Nápoles. También servía de correo de gabinete entre Istúriz y la reina.

(372) *La estafeta romántica*, t. II., pág. 989.

(373) LUIS FELIPE DE ORLEANS (1773-1850) Rey de Francia, llamado *Felipe Igualdad*. Fue proclamado en 1830, y abdicó en su nieto el conde de París a raíz de la revolución de 1848.

(374) *La estafeta romántica*, t.II., pág. 989.

(375) MELLOR, A., *Nos frères separés les Francs-Macons*, Paris, Mame, 1961, pág. 297. El Cardenal, Secretario de Estado, Consalvi, había promulgado ya dos edictos (16 agosto 1814 y 10 abril 1821) condenando el Carbonarismo en los Estados Pontificios.

(376) Cfr. nota 358.

(377) *La estafeta romántica*, t.II., pág. 991.

(378) Cfr. nota 359.

(379) *La estafeta romántica*, t. II., pág. 992.

(380) *Ibidem*, pág. 993.

(381) *Ibidem.*

(382) *Ibidem.*

(383) *Ibidem*, pág. 994.

(384) VIDECHIGORRA, Sacristán de Mondragón, y "hombre muy leído", dentro de la ficción galdosiana.

(385) *Vergara*, t.II., pág. 1053.

(386) *Ibidem*, pág. 1058.

(387) *Ibidem.*

(388) *Ibidem.*

(389) *Ibidem.*

(390) *Ibidem*, pág. 1059.

(391) *Ibidem*, pág. 1061.

(392) *Ibidem*, pág. 1027.

(393) *Ibidem*, pág. 1059.

(394) Rafael MAROTO (1783-1847). General. Estuvo en la defensa de Zaragoza (1808) donde fue herido. Abrazó la causa de Carlos María Isidro, de cuyo Ejército fue General en jefe. Protagonista con Espartero en el célebre *Abrazo de Vergara.*

(395) *Vergara*, t.II., págs. 1096-1097.

(396) *Ibidem*, pág. 1084.

(397) Baldomero ESPARTERO (1793-1879). General, Duque de la Victoria. Regente del Reino (1841). Ministro.

(398) Manuel MONTES DE OCA (1804-1841). Marino y político. Fue diputado en 1835, y ministro de Marina. Por conspirar contra Espartero fue condenado a muerte y ejecutado en Vitoria. Sobre su ejecución cfr. el capítulo XXIX del episodio *Montes de Oca*, t.II., págs. 1197-99.

(399) Santiago IBERO, personaje galdosiano. Capitán cristino de la columna Zurbano (1838).

(400) *Montes de Oca*, t.II., pág. 1165.

(401) *Ibidem*, pág. 1152.

(402) *Ibidem*, pág. 1114.

(403) José del Milagro, cfr. nota 292.

(404) *Montes de Oca*, pág. 1118.

(405) *Ibidem*, pág. 1119.

(406) Bruno CARRASCO Y ARMAS, personaje galdosiano. "Manchego de buena sombra, de insaciable apetito y de mucha correa en el discurso, que llevaba cuatro años en Madrid gestionando la resolución de un embrollado expediente de Pósitos".

(407) Modesto GALLO. Teniente coronel del Ejército. Sobrino de don Bruno Carrasco y Armas, y, como él, pertenece al mundo de ficción de Galdós.

(408) *Montes de Oca*, t.II., págs. 1120-1121.

(409) Carlos MATURANA. Diamantista que fue –dentro de la ficción galdosiana– de la Real Casa. Comerciante de piedras preciosas, vivía en la Plaza de la Armería, junto a Palacio.

(410) Cfr. nota 348.

(411) Jacinta SICILIA. Rica heredera de Logroño, esposa de don Baldomero Espartero.

(412) *Montes de Oca*, t.II., págs. 1116-1117.

(413) Don GERARDO, un buen amigo de los Milagros.

(414) *Montes de Oca*, t. II., págs. 1145-1146.

(415) La futura ISABEL II, Reina de España (1830-1904). Hija de Fernando VII y de su cuarta esposa, María Cristina de Borbón.

(416) Serafín de SOCOBIO, personaje galdosiano, colocado en Palacio le

dejaron cesante. Persona muy discreta, culta y amable. Volvería a su cargo en 1848.

(417) *Los Ayacuchos*, t.II., pág. 1215.

(418) *Ibidem*, pág. 1258.

(419) Fernando Calpena ha logrado sacar a Santiago Ibero del monasterio de San Quirico y ambos se encaminan a Laguardia. Al pasar por Zaragoza, Santiago Ibero narra a Fernando Calpena las conspiraciones de los monjes de San Quirico.

(420) El hijo de D. Carlos (Cfr. nota 204) era el Príncipe don Carlos, conde de Montemolin y pretendiente con el título de CARLOS VI.

(421) *Los Ayacuchos*, t.II., pág. 1296. Cfr. notas 279 y 280.

(422) Baldomero Espartero. Cfr. nota 397.

(423) Durante los años 1841-1843.

(424) Infante DON ENRIQUE. Hijo de Luisa Carlota y de don Francisco de Paula. Pretendiente de Isabel II. Murió a consecuencia de un duelo que tuvo con el duque de Montpensier en 1870.

(425) *Bodas Reales*, t.II., pág. 1374.

(426) Cfr. nota 406.

(427) Infante DON FRANCISCO DE ASIS (1822-1902). Primogénito de la infanta doña Luisa Carlota y don Francisco de Paula. Rey consorte, esposo de Isabel II.

(428) Infanta LUISA FERNANDA (1832-1897). Hija de Fernando VII y María Cristina de Borbón. Casó con el duque de Montpensier en 1846, y fue madre de la reina Mercedes, primera esposa de Alfonso XII.

(429) En realidad comienza el relato el 13 de octubre de 1847.

(430) José GARCIA FAJARDO. Protagonista de *Las Tormentas del 48* y otros episodios. Galdós le hace nacer en Sigüenza y lo presenta como un niño precoz en estudios. Acabaría siendo diputado y gran amigo de Narváez y Salamanca.

(431) DELLA GENGA. Colegial de San Apolinar, en Roma. Compañero y amigo inseparable de García Fajardo, y como él, personaje galdosiano, al que emparenta nada menos que con la familia del Pontífice León XII.

(432) Juan Godofredo HERDER (1744-1803). Filósofo y escritor

alemán.

(433) FORNASARI, al igual que Della Genga, lo presenta Galdós como Colegial de San Apolinar en Roma, y compañero inseparable de García Fajardo.

(434) Pierre LEROUX (1797-1871). Filósofo, publicista y político francés.

(435) *Las Tormentas del 48*, t.II., pág. 1418.

(436) *Ibidem*, pág. 1419.

(437) El cardenal GIZZI (1846). GREGORIO XVI [Mauro Capellari] (1765-1846), pontífice desde 1831.

(438) José MAZZINI (1805-1872). Revolucionario italiano. Uno de los fundadores de la Unidad italiana.

(439) *Las Tormentas del 48*, t. II, pág. 1427.

(440) CUEVAS, personaje galdosiano, es presentado como boticario de Sigüenza y amigo de los García Fajardo. En su tienda se daban cita los varones más conspicuos de la ciudad.

(441) *Las Tormentas del 48*, t.II, pág. 1431. Mariana PINEDA (1804-1831). "Bordaba banderitas para los liberales". Fué ajusticiada en Granada.

(442) *Las Tormentas del 48*, t.II., pág. 1446.

(443) PIO IX [Mastai-Ferreti] (1792-1878). Fue elegido pontífice en 1846.

(444) GLONARD, es posible se trate de una errata, y en realidad se refiera al personaje galdosiano Conde Serafín CLEONARD, amigo y contertulio de don Serafín de Socobio, personaje vano y fecundo, político y gran "carlistón".

(445) *Las Tormentas del 48*, t.II., pág. 1455.

(446) ESPOSITO, Rosario, *La Masonería en Italia*, Historia 16, Extra IV, Noviembre 1977.

(447) Sobre Leo Taxil, cfr. el trabajo publicado en el mismo Extra de Historia 16, titulado: *El satanismo y la masonería.*

(448) *Las Tormentas del 48*, t.II., pág. 1471.

(449) Salustiano OLOZAGA (1805-1873). Fue varias veces Presidente del Consejo de Ministros.

(450) *Las Tormentas del 48*, t.II., pág. 1490.

(451) CARLOS ALBERTO (1798-1849), Duque de Saboya y Rey de Cerdeña.

(452) *Las Tormentas del 48*, t. II., pág. 1495.

(453) Ramón María NARVAEZ (1800-1868). Duque de Valencia, General y político.

(454) *Las Tormentas del 48*, t.II., pág. 1495.

(455) Marqués Máximo Taparelli AZEGLIO (1798-1866). Propagandista italiano de ideas liberales (1848). Hombre de Estado, militar y famoso escritor.

(456) Cfr. nota 438.

(457) *Narváez*, t.II., pág. 1554.

(457 bis) Conde Peregrín ROSSI (1787-1848). Economista y político italiano. Ministro en el Vaticano (1848).

(458) *Narváez*, t.II., pág. 1555.

(459) Feliciano de EMPARAN, personaje de ficción. Hombre millonario y muy metido con monjas y frailes. Bastante meticuloso, lleno de escrúpulos y apretado de bolsa.

(460) Luis SARTORIUS, conde de San Luis (1817-1871). Político. Varias veces Ministro (1847, 1849), Presidente del Consejo de Ministros (1853).

(461) *Narváez*, t.II., pág. 1571.

(462) Sor María de los Dolores Rafaela QUIROGA (1809-1891), más conocida como SOR PATROCINIO. Famosa "monja de las llagas". Consejera del futuro Rey consorte de España, don Francisco de Asís.

(463) *Los duendes de la camarilla*, t.II., pág. 1653.

(464) *Ibidem*.

(465) *Ibidem*, pág. 1654.

(466) Juan BRAVO MURILLO (1803-1873). Político, Jurisconsulto y economista. Ministro de Hacienda en 1849. Presidente del Consejo en 1851.

(467) Mariano DIAZ DE CENTURION, Geltilhombre a quien Isabel II y Luisa Fernanda apodaban *Don Chepe*. Era andaluz y muy locuaz.

(468) *Los duendes de la camarilla*, t.II., pág. 1660.

(469) Lucila ANSUREZ, personaje galdosiano, amante abnegada del capitán Gracián, si bien acabaría casándose con el honrado y maduro labrador de Villa del Prado Vicente Halconero.

(470) Bartolomé GRACIAN Y CHENIER, también personaje de ficción, es presentado como "muy aficionado a revolucionarse". Galdós le hace morir durante la revolución de 1854.

(471) *Los duendes de la camarilla*, t.II., pág. 1669.

(472) *Ibidem*.

(473) Domiciana PAREDES. Amiga de Lucila Ansúrez, monja exclaustrada. Profesó con el nombre de María de los Remedios en el convento de Jesús. Es también un personaje de ficción galdosiano.

(474) *Los duendes de la camarilla*, t.II., pág. 1681.

(475) *Ibidem*, pág. 1674.

(476) Francisco CHICO, se hizo famoso por su dureza como jefe de la policía madrileña, allá por los años 1850.

(477) José GARCIA FAJARDO, protagonista de varios episodios, entre ellos *Las tormentas del 48* y *La Revolución de julio*. Es un personaje de ficción de Galdós, a quien le otorgan, una vez casado, el título de marqués de Beramendi.

(478) ROSENDA, personaje galdosiano, es presentada como viuda de un capitán, amante del teniente Castillo, el compañero de revoluciones de Bartolomé Gracián.

(479) Galdós utiliza indistintamente el nombre de Toja y Tajón para designar a la misma persona, don Francisco TAJON, que presenta, dentro de su trama novelística, como un cazurro, beato y esquinado, muy amigo de meterse en lo que no le importaba.

(480) *La Revolución de julio*, t.III, pág. 48.

(481) Leopoldo O'DONNELL (1809-1867). Conde de Lucena y duque de Tetuán, General y político. Mandó el ejército victorioso en la guerra de Africa (1859-1860). Varias veces Presidente del Consejo de Ministros.

(482) "El Gobierno le pagaba para defender a cada hijo de vecino, y él, ¿qué hacía? Cobrar el barato al vecino y al Gobierno y al *Sulsucorda*. A todos engañaba, y no era fiel más que con la Cristina y su marido, el de Tarancón, porque estos, cuando los ministros estaban hartos de Chico y querían darle la

puntera, sacaban la cara por él... Como que Chico era el hombre de confianza de los Muñoces y el que estaba al quite por si venían cornadas..." *O'Donnell*, t. III, pág. 121. Los MUÑOCES: Agustín Fernando MUÑOZ, rey consorte, y su hermano y contador del Real Patrimonio, José MUÑOZ.

(483) Baldomero ESPARTERO (1793-1879). General. Duque de la Victoria. Regente del Reino (1841). Ministro. Con el carlista Maroto se dio el famoso *abrazo de Vergara*.

(484) Pepa la JUMOS. Personaje galdosiano: "Mujerona en el ocaso de la juventud, *pájara* con restos manidos de un gallardo tipo de maja...". Formó parte de la panda alharaquienta que linchó, arrastrándole por las calles de Madrid al famoso jefe de Policía Francisco Chico.

(485) SEBO, mote de Telesforo del PORTILLO, personaje de ficción galdosiano y polizonte de la confianza de Francisco Chico.

(486) José FULGOSIO (1811-1848). Jefe militar. Intervino en la intentona de raptar a las reales personas de Isabel II y Luisa Fernanda (1841). Murió de un balazo en la revolución de 1848.

(487) *O'Donnell*, t.III, pág. 121. Sobre NARVAEZ, cfr. nota 453.

(488) Sobre CENTURION, cfr. nota 467.

(489) Gabino PAREDES. Honrado cerero de la calle de Toledo. Viudo cuatro veces. Se quedó ciego. Personaje de creación galdosiana.

(490) *O'Donnell*, t.III., págs. 121-122.

(491) Saturno EUFRASIA [CARRASCO], BERAMENDI, Pepe RIVA GUISANDO, Manolo TARFE, personajes de ficción galdosianos.

(492) Cándido NOCEDAL (1821-1895). Político y escritor. Ministro de la Gobernación en el Gabinete Narváez (1856). Periodista notable y polemista formidable. Después de 1868 se pasó al carlismo.

(493) *O'Donnell*, t. III, pág. 212.

(494) Toribio GODINO, según imagina Galdós era primo de doña Celia, la señora de Centurión y había sido muy amigo del coronel Villaescusa. Cura castrense que asistió a la guerra de Africa.

(495) RUIZ PADRON. Sacerdote. Político liberal y exaltado orador. Diego MUÑOZ TORRERO (1761-1829). Político y sacerdote. Gran orador. Diputado en las Cortes de Cádiz, en las que fue el primero en hablar.

(496) GARELLY, político y hacendista de principios del siglo XIX. Ministro de Gracia y Justicia en 1822. Francisco Javier de BURGOS (1778-1848). Literato y político. Fue ministro de Fomento y de la Gobernación.

(497) *Aita Tettauen*, t. III., pág. 256.

(498) Mosén Juan RUIZ HONDON, Vicario de Ulldecona y capitán de una partida de carlistas. Personaje histórico.

(499) Juan PRIM (1814-1870). General y estadista. Héroe de los Castillejos en África. Presidente del Consejo de Ministros.

(500) Domingo CULCE (1808-1869). Oficial de Caballería en 1838. Obtuvo cuatro cruces de San Fernando. Siendo jefe de la Guardia de Palacio, contuvo a los sublevados que querían apoderarse de la reina niña Isabel II (1841).

(501) *Carlos VI en la Rápita*, t.III., pág. 394.

(502) Diego ANSUREZ —personaje galdosiano—. Cuando, muerta su mujer doña Esperanza, se le escapó su hija Marina con el peruano Belisario, Diego se enroló como segundo contramaestre a bordo de *La Numancia* (1865).

(503) *La vuelta al mundo en la "Numancia"*, t.III., págs. 444-445.

(504) *Ibidem*, pág. 445.

(505) *Ibidem*.

(506) *Ibidem*, págs. 445-446.

(507) "Los principales fines de la oligarquía dominante eran ganar las elecciones, repartir a su gusto los impuestos, cargando la mano en los enemigos, y aplicar la justicia conforme al interés de los encumbrados, subastar la Renta (que así llamaban entonces a los Consumos) en la forma más conveniente a los ricos y establecer el reglamento del embudo para que fuese castigado el matute pobre y aliviado de toda pena el de los pudientes. Con tales maniobras, no sólo era reducido el pueblo a la triste condición de monigote político, sin ninguna influencia en las cosas del procomún, sino que se le perseguía y atacaba en el terreno de la vida material, en el santo comer y alimentarse, dicho sea con toda crudeza". *Ibidem*, pág. 446.

(508) *Ibidem*.

(509) *Ibidem*.

(510) "... En tanto ocurrían en Loja y su término sangrientos choques; una noche apaleaban a un asociado, y a la noche siguiente aparecía muerto en la calle un testaferro de los Narváez o un machacante del corregidor. Las agresiones, las pedreas y navajazos menudeaban; la Guarcia Civil acudía, siempre presurosa, de la ciudad al campo o del campo a la ciudad". *Ibidem*, pág. 446.

(511) Rafael PEREZ DEL ALAMO. Según Galdós era un hombre extraordinario dotado de facultades preciosas para organizar a la plebe y llevarla

por derecho a ocupar un puesto en la ciudadanía gobernante". *Ibidem*, págs. 447-448.

(512) Prisco ARMIJANA Y CASTRIL, cura de Salar, dentro de la ficción galdosiana. Quiso casar a una sobrina suya, ex-monja de la Consolación, con su amante Diego Ansúrez, pero no lograría las oportunas dispensas de los votos.

(513) *La vuelta al mundo en la "Numancia", t. III., pág. 448.*

(514) José POSADA HERRERA (1815-1853). Político enemigo de Olózaga. Varias veces Ministro. Presidente del Consejo, del Congreso y del Consejo de Estado. Fue el padre de la *corrupción electoral*, mereciendo el apodo de *El Gran Elector*.

(515) *La vuelta al mundo en la "Numancia"*, t.III., pág. 449.

(516) Cfr. nota 501.

(517) Francisco SERRANO DOMINGUEZ (1810-1885). Capitán *isabelino* en 1836. Varias veces Ministro. Regente del reino en 1869. Presidente del Consejo con Amadeo I.

(518) *La vuelta al mundo en la "Numancia"*, t.III., pág. 454-455: "Venturosa fue la evaporación rápida de los insurrectos, tomando por este o el otro resquicio los caminos del aire, porque así se evitaron las duras represalias y castigos. Algunos cayeron, no obstante, para que quedasen en buen lugar los fueros del orden santísimo. La vista gorda del General no fue tanta que dejase pasar a todos sin coger los racimos de prisioneros que debían justificar, llenando las cárceles, la autoridad del Gobierno. No faltaron infelices que con el holocausto de sus vidas proporcionaron a la misma autoridad el decoro y gravedad de que en todo caso debe revestirse".

(519) Teresa VILLAESCUSA, personaje galdosiano, es presentada como hija del coronel don Andrés.

(520) *Prim*, t.III., pág. 571.

(521) *Ibidem*, pág. 572. Pedro CALVO ASENSIO (1821-1863) Periodista y autor dramático. Ricardo MUÑIZ, político y diplomático. Intervino en la llamada "cuestión de Méjico". Gran amigo de Prim. MONTEMAR, periodista. Redactor de *Las Novedades*. Complicado en los disturbios revolucionarios de 1854. Domingo MORIONES. Jefe militar. Se le nombró General en Jefe del Ejército del Norte que luchó contra los carlistas (1874). Comandante GAMINDE, Ayudante de Prim en la guerra de Africa. Capitán General de Cataluña en 1869. Ministro de la Guerra (1872) con el Gabinete Sagasta. Coronel MILANS DEL BOSCH, auditor de Guerra, y diputado en las Constituyentes de 1869. Estanislao FIGUERAS (1819-1882). Político progresista, primero; republicano, después. Fue el primer Presidente (1873) de la primera República española.

Eugenio GARCIA RUIZ, uno de los diputados más fieles de la llamada Representación Nacional (1854).

(522) *Prim*, t.III., pág. 581.

(523) *Ibidem*, pág. 594.

(524) José RIVAS CHAVES. Comerciante. Vivía en Madrid, calle del Desengaño, 10. Estaba complicado con Prim y sus amigos.

(525) *Prim*, t.III., pág. 645,

(526) Antonio, duque de MONTPENSIER (1824-1890). Hijo de Luis Felipe de Francia. Se casó con la infanta Luisa Fernanda, hermana de Isabel II. Fue padre de la reina Mercedes, primera esposa de Alfonso XII. En desafío mató de un balazo a don Enrique de Borbón, frustrado esposo de Isabel II, y cuñado suyo.

(527) Wifredo ROMARETE Y TRAPINEDO, personaje galdosiano, es presentado como sobrino del marqués de Gauna. "Vejestorio disecado", bailío de nueve villas en la militar orden de San Juan de Jerusalen.

(528) Demetria Fernanda IBERO, personaje de ficción, enamorada de don Juan de Urries, y posteriormente de Vicente Halconero. Cuando ya iba a casarse falleció de una hemoptisis. Su gran hazaña fue matar a la exótica *Céfora*, amante de su primer amor, Urries.

(529) Juan de URRIES Y PONCE DE LEON. Es presentado en la trama novelística de Galdós, como amante de Céfora y novio de Fernanda Ibero. Acabaría casándose con la marquesa viuda de Aldemuz, doña Mariana de Pedroche.

(530) El recuerdo de Cervantes es continuo en Galdós a la hora de caracterizar a éste y a otros personajes, y llega no sólo a las situaciones, sino al lenguaje.

(531) Cristóbal PIPAON Y LANDAZURI, es dibujado por Galdós como el "doctor in utroque, sobrino o resobrino del Marqués por agnación lejana, varón ilustrado y pío, con gafas de oro, mirar oblicuo y habla resposada".

(532) *España sin rey*, t.III., pág. 794.

(533) Francisco Mª AROUET, VOLTAIRE (1694-1778). Denis DIDEROT (1713-1784). Jean Le Rond D'ALEMBERT (1717-1783).

(534) *España sin rey*, t.III., pág. 801.

(535) *Ibidem*, pág. 804.

(536) *Ibidem*, pág. 815.

(537) *Ibidem*, pág. 827.

(538) Práxedes Mateo SAGASTA (1825-1903). Diputado por Zamora en 1854. Ingeniero y gran político. Ministro y presidente del Consejo varias veces. Fue Gran Maestre de la masonería española. Sobre Prim cfr. nota 499.

(539) *España sin rey*, t. III, pág. 850.

(540) Lucio DUEÑAS, personaje de ficción galdosiano. Clérigo chiquitín, casi enano, buen hombre en el fondo, pero tan fanático y cerril, que perdía el sentido en cuanto el viento a sus orejas llevaba rumores de guerra carlista.

(541) *España sin rey*, t. III, pág. 854.

(542) Vicente HALCONERO Y ANSUREZ, personaje galdosiano, que acabaría siendo diputado.

(543) *España trágica*, t. III., pág. 913.

(544) *Ibidem*, pág. 914.

(545) Angel CORDERO, personaje galdosiano, es presentado en 1860 viudo, dueño y cultivador de tierras en Aldea del Fresno y Cadalso de los Vidrios. Muy aficionado e impuesto en empalagos económicos.

(546) *España trágica*, t. III., pág. 914.

(547) Domiciana PAREDES, amiga de Lucila Ansúrez, monja exclaustrada. Profesó con el nombre de sor María de los Remedios en el convento de Jesús. Personaje galdosiano.

(548) PATROCINIO, Sor María de los Dolores Rafaela QUIROGA (1809-1891). Famosa "monja de las llagas". Consejera del futuro Rey consorte de España, don Francisco de Asís.

(549) *España trágica*, t. III., pág. 916.

(550) Segismundo GARCIA FAJARDO, es presentado por Galdós como mal estudiante, antipático, "ubicuo" parroquiano de todos los cafés. Tradicionalista de Carlos VII; más tarde seducido por las doctrinas de Pi, se hizo (1873) federalista. Era un bohemio incorregible. DONATA, al igual que el anterior, es personaje galdosiano. La presenta viviendo en una masada de Rosell de Cenia, propiedad de mosén Juan Ruiz Hondón. Seducida por Confusio, huyó con él, abandonándole más tarde por no poder vivir lejos del ambiente clerical. Formaría en Madrid con Domiciana Paredes y Rafaela del Milagro la tríada de las *Ecuménicas*.

(551) *España trágica*, t. III., pág. 932.

(552) Cfr. nota 424.

(553) Antonio, duque de Montpensier. Cfr. nota 526.

(554) ALFONSO XII (1857-1885). Rey de España. Hijo de Isabel II.

(555) MONTEMOLIN, título del pretendiente Carlos VI. Cfr. notas 204 y 421.

(556) Príncipe JUAN DE BORBON, hermano del conde de Montemolín, hijo de don Carlos Mª Isidro.

(557) CARLOS VII, Carlos Mª de los Dolores de Borbón y Austria-Este. Pretendiente, jefe de la Comunión Tradicionalista.

(558) *España trágica*, t. III., pág. 928.

(559) *Ibidem*, pág. 930.

(560) *Ibidem*, pág. 932.

(561) *Ibidem*, pág. 933.

(562) *Ibidem*, págs. 932-933.

(563) Roque BARCIA (1823-1885). Periodista, literato y político español. Gran orador.

(564) Luis BLANC. Político y periodista (1870). Simpatizante del infante don Enrique para ocupar el trono español.

(565) Cfr. nota 499.

(566) Cfr. nota 538.

(567) *España trágica*, t. III., págs. 934-935. ZOROBABEL (siglo VI a. de J.C.). Judío que se puso al frente de sus compatriotas para regresar a Judea cuando Ciro los liberó de la cautividad de Babilonia el año 536 a J.C. CIRO (590-536 a J.C.). Llamado el *Grande*. Fundador del Imperio persa.

(568) Manuel RUIZ ZORRILLA (1833-1895). Político republicano español. Ministro de Fomento y Gracia y Justicia con el Gobierno provisional (1868-1869). Presidente del Consejo (1871) con don Amadeo I.

(569) *España trágica*, t. III., pág. 935.

(570) Cfr. nota 521.

(571) El "Carbonerín" mote de Felipe FERNANDEZ, personaje de ficción, al que Galdós presenta como gran amigo de Vicente Halconero, Romualdo CANTERA, alias *el Cojo de las Peñuelas*, lo dibuja Galdós como miliciano nacional, y amigo de los anteriores.

(572) *España trágica*, t. III., pág. 935.

(573) *Ibidem*, pág. 936.

(574) *Ibidem*.

(575) Felipe DUCAZCAL (1845-1891). Popular empresario español de teatros. Gran amigo del rey don Amadeo de Saboya. Fundó el *Heraldo de Madrid*.

(576) *España trágica*, t. III, págs. 937-938.

(577) GUEL Y RENTE, Oficial de Húsares, compañero de don Enrique de Borbón y Castelvi, hijo del infante don Enrique.

(578) *España trágica*, t. III., pág. 938.

(579) *Ibidem*, pág. 940. Sobre Pío IX masón, cfr., entre otros muchos, TAXIL, Léo, *La leyenda de Pío IX Francmasón. Historia de una mentira*, Barcelona, 1892.

(580) *Ibidem*, págs. 941 y 976.

(581) *Ibidem*, pág. 1000.

(582) Miguel MORAYTA (1834-1917). Político, catedrático y publicista. Gran Maestre de la masonería española.

(583) *España trágica*, t. III., pág. 1001.

(584) Clemente FERNANDEZ ELIAS. Venerable que presidía el ágape masónico al que debía haber asistido Prim la noche que fue asesinado (27 diciembre 1870).

(585) *España trágica*, t. III., pág. 1002.

(587) AMADEO I DE SABOYA (Duque de Aosta. Rey de España (1870-1873). Hijo del rey Victor Manuel II de Italia. Entró en Madrid el día 2 de enero de 1871.

(588) "Córdoba y López, federal exaltado y escritor valiente; Emigdio Santamaría, furioso propagandista republicano; Mateo Nuovo, otro que tal, revolucionario de acción, que a la idea consagraba toda su actividad y toda su pecunia". *Amadeo I*, t. III., pág. 1010.

(589) *Ibidem.*

(590) La alusión a los primeros episodios también es clara: "Despuntaba por la literatura; no sé si en aquellas calendas había dado al público algún libro; años adelante lanzó más de uno, de materia y finalidad patrióticas, contando guerras, disturbios y casos públicos y particulares que vienen a ser como toques o bosquejos fugaces de carácter nacional". *Ibidem.* Los primeros episodios fueron escritos en 1873, es decir, que casi son coetáneos del período relatado.

(591) José FERRERAS –al que Galdós hace intervenir en sus episodios con el nombre familiar de Pepe Ferreras– fue un político y periodista de gran talento y modestia, que protegió mucho a Galdós.

(592) José Luis ALBANDO (1828-1897). Político, diplomático y periodista. Galdós lo describe así en boca de Tito, que es el nombre que se da el autor de las Memorias relatadas en la última serie de los Episodios: "Él más arrogante, salado y ceceoso de los señoritos andaluces que por entonces se abrían camino en la política. Dirigía *El Contemporáneo*, órgano de los conservadores que llamaban *de guante blanco*, los más atildados y conspicuos, chapados a la inglesa, que era la *dernière* en punto a política y arte parlamentario" (1858). Sobre esta faceta de Galdós, cfr. el libro *Galdós, periodista*, Madrid, Banco de Crédito Industrial, 1981.

(593) *Amadeo I.*, t. III., págs. 1026-1027.

(594) *Ibidem.*

(595) *Ibidem*, pág. 1013. En el último episodio –*Cánovas*– vuelve sobre la cuestión de la cronología: "El rigor cronológico, el cual inútilmente quiero acomodar la serie de mis históricos relatos, me ordena referir... *Canovas*, t. III., pág. 1333.

(596) *Amadeo I*, t. III., pág. 1023.

(597) *Ibidem*, págs. 1009-1010.

(598) Cfr. nota 588.

(599) Recordemos que en el mismo episodio también asegura que tenía el grado 33 en el "Gran Oriente de rito escocés".

(600) Mateo Nuevo, Córdoba y López, y Emigdio Santamaría, tres de los cinco amigos, descritos por Galdós, con los que asistió también a la entrada en Madrid de Amadeo I. Cfr. nota 588.

(601) *Amadeo I*, T. III., págs. 1011-1012.

(602) *Ibidem*, pág. 1012.

(603) Emigdio SANTAMARIA. Cfr. nota 588.

(604) *Amadeo I*, t. III., pág. 1012.

(605) Gaceta Oficial del Gran Oriente Nacional de España, Año IV, Madrid 6 de febrero 1890, nº 29 págs. 1-2.

(606) LIGOU, Daniel, *Dictionnaire Universal de la Franc-Maconnerie*, Paris, Prisme, 1974, vol. II, pág. 1.194.

(607) *Amadeo I*, t. III., pág. 1012.

(608) Proteo LIVIANO, más conocido por TITO, es el protagonista narrador de la última serie de los Episodios.

(609) Cristóbal PIPAON Y LANDAZURI. Cfr. nota 531.

(610) Sobre Torrijos y Porlier, cfr. nota 82.

(611) Cfr. notas 259 y 193.

(612) Martín ZURBANO (1788-1844). General cristino. Antes guerrillero durante la guerra de la Independencia.

(613) *Amadeo I*, t. III., pág. 1014.

(614) Cfr. nota 554.

(615) Sobre la reina María Victoria, esposa de Amadeo I, dice Galdós: "Al verla pasar en el coche de gala, a la derecha del Rey, que no paraba en repartir a un lado y otro su garboso saludo, comprendí que doña María Victoria sería muy querida de las mujeres humildes y admirada de las de clase intermedia, que pueden ser llamadas señoras sin llegar a damas. Estas brillaron en la recepción de Palacio con todo el fulgor de su asusencia, bien campaneada por los periódicos moderados, alfonsinos y carlistas. La gente adinerada se hizo notar también por sus desdenes". *Amadeo I*, t. III., pág. 1018.

(616) Marquesa Carolina de MONTEORGAZ, figura galdosiana, presentada como "hermosa aristócrata, muy dada a los amoríos". La CAMPOFRESCO, al igual que la anterior, dama de Isabel II, y "distraida de postín, y célebre por sus amantes".

(617) La BELVIS DE LA JARA es dibujada por Galdós como "aristócrata hermosa y fácil, enredada con el más joven de los coroneles, Mariano Castañar. Era dama de Isabel II. La Marquesa VILLARES DE TAJO es el título concedido a Eufrasia CARRASCO Y QUIJADA, hija de doña Leandra y don Bruno, todos ellos personajes galdosianos de ficción. La VILLAVERDEJA, también "dama de Isabel II, era el amorío de Pepe Armada; y la condesa de YEBENES, "dama de gran alcurnia y de gran frescura –según Galdós– también era camarera de Isabel II.

(618) Manuel OROVIO, personaje histórico. Ministro del último Gobierno de Isabel II, y Ministro de Fomento con el primer Gobierno de Alfonso XII.

(619) Marqués de MOLINS. Ministro de Marina en el Gabinete Narváez (1848). Literato. Ministro de Marina con el primer Gobierno de Alfonso XII.

(620) Juan Antonio IRANZO. Diputado en 1869 de la "modesta constelación canovista".

(621) *Amadeo I.*, t. III., pág. 1016.

(622) Josefa IZCO DE LARREA, personaje galdosiano que es presentado como dama duranguesa, que tenía su esposo en Cuba. Devota, remilgada y repulgada.

(623) *Amadeo I.*, t. III., pág. 1078.

(624) MONTESINOS, J.F., *Op. cit.*, Galdós III, págs. 287-290.

(625) Santos LA HOZ, personaje galdosiano que tenía cátedra en el Café Oriental, y era amigo de Tito. Se trataba de "un curita que condenó a garrote vil sus hábitos, metiéndose de lleno en la vida laica y en el torbellino de la política, primero progresista, después republicano".

(626) Cristino MARTOS (1830-1893). Político y orador. Gobernador de Madrid y Ministro. Manuel BECERRA (1823-1896). Político, orador y Ministro con Amadeo I, Alfonso XII y la Regencia.

(627) LICURGO, nombre simbólico adoptado en la masonería. Corresponde a una persona descrita por Galdós como parlanchín y pedantuelo, que concurría a la taberna de Ginés Tirado. EPAMINONDAS, también corresponde a otro simbólico masón, "perorante y olímpico" que concurría a la tertulia de Candelarita Penélope. *La primera República*, t. III., pág. 1120.

(628) *Ibidem*. CANDELARIA [Alias PENELOPE], la describe Galdós como poetisa que frecuentaba el café de las Columnas, donde la conoció Tito: "Era pequeña de cuerpo, gordeta y fofa, viva de andadura, suelta de ademanes y tan desahogada de lengua, que a lo largo del café iba disparando dicharachos de un lado a otro".

(629) *La primera República*, t. III., pág. 1122.

(630) Nicolás DIAZ Y PEREZ, republicano y masón distinguido. Uno de los historiadores "clásicos" de la masonería española. Cfr. nota 18.

(631) *La primera República*, t. III., pág. 1129.

(632) Cfr. nota 563.

(633) *La primera República*, t. III, pág. 1157.

(634) *Ibidem*, pág. 1127.

(635) De este acto se conserva un Programa impreso en el expediente de Galdós del Archivo de Servicios Documentales de Salamanca.

(636) Manuel PAVIA (1814-1896). General. Marqués de Novaliches. Con un golpe de mano en el Congreso terminó con la primera República española.

(637) CHILIVISTRA, nombre familiar de Silvestra IRIGOYEN, personaje galdosiano, vizcaina de Elanchove, que vivía en la pensión de don Ido del Sagrario, en la calle del Amor de Dios; y Tito, a su regreso de Cartagena, se la encontró usufructuando su habitación.

(638) Infante don ALFONSO DE BORBON Y ESTE, hermano del pretendiente Carlos VII. Infanta doña MARIA DE LAS NIEVES, esposa de don Alfonso de Borbón y Este. Alma del tradicionalismo desde 1872.

(639) Antonio CANOVAS DEL CASTILLO (1828-1897). Gran político y literato. Creador del llamado "sistema canovista" durante la Restauración. Ministro y Presidente del Consejo varias veces.

(640) Cfr. nota 622.

(641) Práxedes Mateo SAGASTA (1825-1903). Diputado por Zamora en 1854. Ingeniero y gran político. Ministro y Presidente del Consejo varias veces. Cfr. nota 538.

(642) Cfr. nota 568.

(643) RAMON, conocido ayuda de cámara de don Antonio Cánovas del Castillo. Uno de los primeros que puso de moda el fumarse los puros, heredar los trajes, adoptar los términos y *pisar* las conquistas de sus señores.

(644) *Cánovas*, t. III., pág. 1348.

(645) DEROZIER, Albert, *Relaciones entre historia y literatura a través de la producción periodística del trienio constitucional (1820-1823)*, Cuadernos Hispanoamericanos, nº 335, mayo 1978, pág. 5 (de la separata).

(646) TUÑON DE LARA, M., *La España del siglo XIX*, Barcelona, Laia, 1977, vol. II., pág. 111.

(647) *El Audaz*, t. IV, pág. 324.

INDICE GENERAL

Página

Página

Página

LA CUARTA SERIE DE LOS EPISODIOS

LA QUINTA SERIE DE LOS EPISODIOS